集英社文庫

あなたへの日々

唯川　恵

集英社版

目次

あなたへの日々

I　遠い記憶

水の中が、曜子《ようこ》にとってもっとも落ち着ける場所だった。

二十五×十八メートルの箱に満ちた水は、十一月の尖《とが》った外気温に関係なく快適な水温に保たれていて、いつも曜子を心地よい感触で受け入れてくれる。

水は身体《からだ》の突き出ているところも窪《くぼ》みも決して拒否しようとはせず、まるで使い慣れた毛布のようにしっとりと全身を包み込み、曜子を安心させた。

水の中は静寂に包まれている。聞こえるのは曜子自身から発する音だけだ。それは身体を流れる赤い水の音のようにも思われる。自分という生きものが、かつて海から生まれた名残りを持っていることの不思議を、こんな時、曜子は少しの疑いもなく受け入れられるのだった。

水の中では、身体をひらりと回転させることも、歩くより軽快に前に進むこともできる。身体を堅く縛っている骨格というものを忘れ、それと同時に、心も解放される。曜子は何も考えない。水と同化することだけを望んでいる。

けれども、息つぎはしなければならない。からっぽになった肺の欲求に応《こた》えて、水面に顔を出すと、溢《あふ》れるように喧騒《けんそう》が戻って来た。それに混じって、プールサイドから曜子の名を呼ぶ声が聞こえた。

「成井《なるい》さん、そろそろ生徒たちが来る時間よ」

曜子はプールの底に足を着けた。ポロシャツにショートパンツ姿の女性マネージャーが見下ろしている。仕事以外でも、暇さえあればこうして泳いでいる曜子に、マネージャーはいつも呆《あき》れているようだ。

「今、上がります」

曜子はコースロープを潜水でくぐり、プールサイドに立った。曜子の雫《しずく》がかかるのを避けて、マネージャーはあまり近付かない。

「今日は新しい生徒さんがひとり入るの。広澤真之《ひろさわまさゆき》くんっていう七歳の男の子よ。よろしく頼むわね」

「はい」

このスイミングスクールは、入会金を三十万円もとる。月謝は二万円だ。それも子供相手でだ。なのに申し込みは順番待ちをするほど繁盛している。

曜子はベンチに置いてあったタオルを手にした。

確かに設備の充実度と清潔さ、それから自由《じゆう》が丘《おか》という立地条件のよさはどこにも引けを取らないが、週に一度、それも一時間ばかりの水遊び程度に過ぎないレッスンにしては高すぎると思う。けれども、ここに通う子供たちの家庭はどこもが裕福だった。

それは母親たちを見ても瞭然《りょうぜん》だ。送り迎えの車は決まって高級車だったし、中二階のギャラリーから我が子を見つめている母親の姿は、ブランドものを扱う婦人雑誌から抜け出したような人たちばかりだった。

顔を合わせれば、母親たちは曜子のような年下の女の子にも「先生」と笑顔を向ける。けれども、インストラクターという仕事から離れれば、まったく関わることのない世界の人たちだった。

曜子もそれ以上の興味はない。羨《うらや》ましいと思うより、感心してしまう。世の中には、こんなふうにはっきりと、裕福かそうでないかの現実が存在していることに、何だか可笑《おか》しくさえなってしまうこともある。

子供たちがロッカールームから出て来た。このスクールは少人数ずつでしか教えない。曜子が受け持っているのも五人だ。この形態も人気のある理由のようだ。別のコースでは曜子の他に三組、同じように教えている。曜子が教えているのは幼稚園児の年少組と年長組、そして今から始まる小学校低学年である。

親の思惑に関係なく、子供たちはみな素直ないい子だった。最初は水を怖がっていた子供が、真剣な眼差《まなざ》しでそれを克服してゆくのを見ていると、曜子はこの仕事についたことに心から満足した。本当は、すべての就職試験に振られてしょうがなく始めた仕事だったが、今は少しの悔いもなかった。

曜子が担当するチームの子供たちが、お揃《そろ》いのブルーの水着でプールサイドに並んだ。曜子は彼らに笑顔を向けた。

「みなさん、こんにちは」

こんにちは、と元気な声が返って来る。子供たちはみな礼儀正しい。

いちばん端に立つ男の子に目が行った。どこか不安な目で曜子を見上げている。曜子は彼の前に立ち、屈《かが》んで同じ目の高さになった。

「君が広澤真之くんね」

男の子は黙ったまま頷《うなず》いた。

「返事はしてくれないの？」

「そうだよ」

「私は成井曜子って言うの、よろしくね。水泳をするのは初めて？」

「初めてじゃないけど、スクールに入ったのは初めて。今までは陸《りく》おじさんに教えてもらってたんだ」

「陸おじさん？」

「ママの弟だよ。あのね、陸おじさんはすごいんだ。芸術家なんだから」

彼はちょっと自慢げに言った。

「へえ、芸術家なの。かっこいいのね。じゃあもっと泳ぎが上手になって、その芸術家の陸おじさんを驚かせてあげようね」

真之は頷き、それからチラリと曜子の足に目をやった。その視線を追い、曜子はほほ笑み返した。

「これ？」

曜子は自分の太腿《ふともも》を指差した。そこには三十センチにも及ぶ傷がある。

「怪我《けが》？」

「そうなの、小さい時にね。怖い？」

「ううん、でも痛そうだね」

「全然、もう平気」

「ふうん」

「じゃあ始めましょうか」

まずは準備体操だ。子供たちはすぐにでもプールに飛び込みたくてうずうずしている。十分に身体をほぐすと、誰もが待ちかねたように水に飛び込んだ。

子供たちと初めて会った時、必ずと言っていいほどこの傷のことを尋ねられる。素直に興味があるのだろう。確かに目立つ傷だった。怯《おび》える子もいるようだ。けれども、怪我をしたのだと答えればそれ以上は詮索《せんさく》しない。そこが大人と違うところだ。大人は必ず原因を知りたがる。そしておざなりな慰めを言葉にする。それがない分、曜子も素直に答えられる。

傷口は腿の付け根から膝《ひざ》にかけて、少し弧を描くように伸びている。五十針ばかり縫った跡だった。そこだけ肌の色が違う。皮膚が薄くなっていて、肌の下の肉の色を浮かび上がらせている。もう十年も前の傷だから痛むことはないが、時折、別の所が痛み出す。目に見える傷跡よりも深く、心に残る傷がある。

まずはバタ足や潜水やビート板を使って基礎を練習する。子供たちは驚くほど上達が早い。身体が柔らかく、無理なく水と馴染《なじ》むことができるからだ。今日初めての真之もかなり上手《うま》いようだ。セーブしないとひとりでどんどん先に泳いで行ってしまう。

やがて一時間が過ぎ、整理体操をしてレッスンが終わった。挨拶《あいさつ》をして、ロッカールームに向かう子供たちの中から、曜子は真之を呼び止めた。

「真之くん、どうだった？」

真之が振り返る。頰《ほお》が薄桃色に上気している。

「まあまあ楽しかったよ」

「泳ぎとても上手なのね、びっくりしちゃった。陸おじさん、きっと水泳が得意なのね」

「陸おじさんは何でもできるんだ」

「そう、じゃあ来週またね」

「うん」

真之は誉《ほ》められて満更でもなかったらしく、弾むような足取りでロッカールームに駆けて行った。

タオルを肩にかけてスタッフルームに向かうと、中二階のギャラリーから下りて来た女性と顔を合わせた。

「お世話になります。今日から通い始めました広澤真之の母です」

美しい人だった。ほっそりとした身体つきと物腰の柔らかさは、成金ではない生まれと育ちのよさを感じさせた。曜子も礼儀正しく挨拶をした。

「インストラクターの成井曜子です。こちらこそよろしくお願いします」

ここはスクールと名がついていても、客商売である。父母に対する態度については、支配人から厳しく言われている。

「真之は少し我儘《わがまま》なところがあって、先生の手を煩わせることがあるかと心配なんですけれど」

「いいえ、そんなことちっとも。真之くんはとてもハキハキしていて、泳ぎも上手ですし、教えがいがあります」

スタッフルームから支配人が出て来た。広澤夫人を見ると、少し大げさ過ぎる愛想笑いを浮かべた。

「これは広澤様、このたびは当スクールにご入会いただきましてありがとうございます。いかがですか、ご都合の悪いことでもあれば何なりとお申し付けください」

「いいえ、とても満足してます」

「それはそれはありがとうございます」

「では、失礼」

広澤夫人がロビーへと歩いてゆく。その後ろ姿に丁寧に頭を下げてから、支配人が曜子に顔を向けた。

「広澤様はご実家が貿易商を営まれていてね、将来はご主人が跡を継がれるそうだ。大切なお客さまだからね。くれぐれも失礼のないように」

支配人が消えると、曜子は軽く肩をすくめた。貿易商も豪邸も、自分には関係ない。子供たちに水泳を教えるということではみんな同じだ。これが商売だということはわかっていても、支配人のように露骨に表に出されると、何だか興醒《きょうざ》めしてしまう。

曜子はスタッフルームに入った。この後、約束がある。のんびりしていると遅刻してしまう。急いでシャワーを浴びた。

外に出ると、凍える風が過ぎて行った。軽く頭を振ると、まだ半乾きのショートボブがひんやりとして、思わず身を縮めてしまう。

葉をすっかり落とした街路樹は、街灯に照らされて、アスファルトに長く影が映しだされている。それは幾重にも重なって、更紗《さらさ》のような美しい模様を浮かび上がらせていた。

自転車にまたがり、曜子は空を見上げた。本当ならそこにオリオン座が見えるはずだ。けれど何も見えない。馭者《ぎょしゃ》座も大犬座もエリダヌス座もない。ただ救いようのない暗闇《くらやみ》が広がっている。

曜子は深く息を吐き出した。

十年前のちょうど今の季節だった、兄が死んだのは。

実家のある仙台の晩秋は、空が星で溢れていた。けれども、あの日から曜子の家族は、たったひとつの光さえ見つけられないこの空と同じになってしまった。

曜子はダウンジャケットの衿《えり》を立て、駅に向かってペダルをこぎ始めた。風は容赦なく冷たい。けれども繁華街が近付いて来ると、少し暖かくなったような気がする。お洒落《しゃれ》な女の子たちが好むこの街は、ショッピングやらデートやらと、いつも彼女たちの熱気に包まれている。

成績もよく、誰からも好かれ、両親にとって自慢の兄だった。特に母は兄を溺愛《できあい》していた。それは子供心にもはっきりと理解していた。そのことにある種の寂しさは感じても、決して嫉妬《しっと》していたわけではなかった。誰よりも曜子自身、兄が大好きだった。

兄が死んだのはオートバイの事故だ。十六歳になって免許を取ると、兄は貯金をはたき、両親に内緒で友達から125ccの古いオートバイを買った。

兄が何故《なぜ》こっそりとオートバイを手に入れたのかわからない。両親の期待を裏切ったことのない兄の、精一杯の反抗だったのかもしれないと思う。

曜子はすぐにその秘密に気がついた。ヘルメットを押し入れにしまってあるのを見つけて、普段は友達のガレージに隠してあるそれに、乗せて欲しいと駄々《だだ》をこねた。

せがまれて、兄は仕方なく曜子をオートバイに乗せることを承諾した。初めて乗るタンデムシートに、曜子はすっかり興奮していた。

キーを回しキックすると、エンジンに震える車体。そしてガソリンの匂《にお》い。曜子は兄の背にしがみついた。

「しっかりつかまってろよ」

「うん」

曜子は兄の腰に手を回し、背中にぴったりと身体を合わせた。

がくんと身体が後ろに引っ張られ、オートバイが走りだす。凍《い》てつく風が、襟元からも袖口《そでぐち》からも容赦なく入り込んで来る。体温はたちまちのうちに奪われ、兄と身体を合わせているところだけが暖かかった。

過ぎてゆく風景は、四輪車の窓から見るそれとはまったく違っていた。まるで直《じか》に触れているかのように、色も形も強烈に感じることができる。

曜子ははしゃいでいた。ヘルメットの中は、曜子の感嘆と興奮でいっぱいだった。

あの時、もう少しスピードを落としていたら。あの時、もっと早く信号が赤に変わっていたら。あの時、トラックが追越しをかけなかったら。

そのことを考えると、曜子は今でも深い谷底を見下ろすような気持ちに襲われる。

目の前に巨大な鉄のかたまりを捉《とら》えた瞬間、曜子は強烈な力で兄の背から引き離されていた。自分の身体が宙に浮き、その恐怖を感じる間もなく、アスファルトに叩《たた》きつけられた。

朦朧《もうろう》とする意識の中で、曜子は兄の姿を探した。トラックの下から兄の不自然に折れ曲がった足が見えた。真っ白なバッシュの片方が飛んで曜子の目の前に転がっていた。呼ぼうとしても声が出ない。そばへ行こうとしても身体が動かない。知らない人が叫んでいる。慌ただしく走り回っている。いつか、曜子は気を失っていた。

兄の死は病院のベッドで知った。気がついた時、通夜も葬式も終わっていた。曜子は右大腿骨《だいたいこつ》を折り、それは皮膚を破って飛び出していた。

気がついても、母はなかなか病院に姿を現わさなかった。父が時々、会社の帰りに寄ってくれるが、曜子の目から見てもすっかり憔悴《しょうすい》していた。

兄を死なせてしまったという後悔は、曜子を絶望させていた。どうしてあの時、乗せて欲しいなどとせがんでしまったのだろう。自分が我儘さえ言わなければ、兄は死なずに済んだのだ。

四十九日が過ぎ、母が初めて病院に訪れた時、曜子は緊張して身体が硬直した。母から兄を奪った、その事実は誰より曜子自身が知っていた。母に憎まれている、それは想像では終わらず、曜子をひどく怯えさせた。

母は父以上にやつれていたが、曜子の枕元《まくらもと》に新しい花を飾ると、思いがけず笑顔を向けた。

「ごめんなさいね、ずっと来てあげられなくて」

優しい言葉。それを聞いたとたん、曜子は救われていた。兄を失った悲しみよりも、母の優しさが嬉《うれ》しかった。

その日から母は毎日のように病院を訪れ、曜子の世話をした。決して曜子を責めるようなことはなかった。

三ヵ月後、曜子は退院した。リハビリを兼ねて水泳を始めたのもその頃《ころ》だ。大腿部には大きな傷が残ったが、恥ずかしいとは思わなかった。それは兄との最後の思い出だった。

母は兄の部屋をそのままにしていた。食卓にも必ず兄の分が並んだ。兄の姿はなかったが、兄はいつもそこにいた。

兄の代わりはできなくても、少しでも両親の気を紛らわせたくて、曜子はいい娘になることに努力した。勉強もした。手伝いもした。十三歳の曜子の精一杯の気遣いだった。少なくとも見た目には穏やかな家庭が戻って来たように見えた。

一周忌を迎えた時、新たな悲しみが家族を包んだ。法事が終わっても、母は兄の遺影の前から離れようとはしなかった。ただ放心したように座り込んでいた。まるで身体だけをここに残して、魂はどこか遠いところに行ってしまったようだった。

そんな母の姿に、曜子は再び怯え始めていた。すべては自分のせいなのだ。自分が引き起こした事故なのだ。いたたまれず、曜子は口にした。

「ごめんなさい、私が乗せて欲しいとさえ言わなかったら……お兄ちゃんじゃなくて、私が死ねばよかった……」

その言葉を聞いて父はひどく曜子を叱《しか》った。それが安堵《あんど》を呼び、母にも同じ反応を期待した。

母は少し首を動かし、曜子を目の端で捉えた。けれども何も言わなかった。まるでガラス玉のような無機質な眼差しをほんの少し投げ掛けただけだった。

その時、曜子は知ったのだ。母が決して自分を許してはいないことを。

一周忌が過ぎ、家族はまた平穏に戻った。食卓では笑い声が上がる時もあった。けれども、この家は曜子にとって安らげる場所ではなくなっていた。母との間には、どの鍵《かぎ》を持って来ても開けることのできない堅く重いドアが立ちはだかっていた。

東京の大学に入学が決まった時、曜子は心から安堵した。これで母と毎日顔を合わせずに済む。

在学中の四年間、帰省したのは盆と正月だけだ。父は寂しがったが、母は何も言わなかった。顔を合わせれば、お互いに母娘としての役割りをきちんと演じることができる。それは父の前でも完璧《かんぺき》だったと思う。

けれども実家に三日も居ると、曜子は息が苦しくなる。回りの空気が希薄になって来る。たった一つの呼吸さえ努力が必要となり、曜子は逃げだすようにバタバタと東京のアパートに戻る。そしてようやく息をつくことができるのだ。

就職が決まらなかったのに、こうして東京に残ったのも、結局はそれが理由だった。十年という年月も、母と曜子の間にあるドアを決して開くことはできなかった。

待ち合わせの居酒屋はいっぱいだった。背を伸ばして姿を探すと、カウンターの奥に座る徹也《てつや》が手を上げた。

「おぅ、ここ」

曜子は狭い通路を抜けて、徹也の隣りに腰を下ろした。

「お待たせ」

「先にやってるよ」

徹也は焼酎《しょうちゅう》のお湯割りを飲んでいる。肉じゃがとほっけの塩焼き、酢の物が並んでいる。

「おじさん、私、熱燗《あつかん》ね。それから揚げ出し豆腐と鮭《しゃけ》のバター焼き、海藻サラダも」

カウンターの中に声を掛けてから、曜子は徹也の肉じゃがを取り上げた。

「これ頂き」

徹也は呆れた顔をしている。

「水泳の後ってすごくおなかがすくのよ。その代わり揚げ出し豆腐、半分あげるから」

徹也が苦笑した。

「おまえって、いつまでたってもコンパのノリが抜けないんだな」

「いいじゃない、徹也と違って所詮《しょせん》は肩書きなしのフリーターなんだから」

曜子の言葉に徹也はちょっと困ったように眉《まゆ》をひそめた。そんな徹也に、曜子は笑ってみせた。

「やだ、皮肉に聞こえた？」

「まさか」

曜子と徹也の組み合わせは、回りから見ると少々ちぐはぐに見えるかもしれない。スーツにネクタイ姿の彼に対して、曜子は化粧気もなく洗いっぱなしの髪、セーターにコーデュロイパンツだ。

田村徹也とは大学の時からの友人だった。五十人ばかりのクラスの中で、飲みに行ったりスキーに出掛けたりしているうちに、遊ぶメンバーは自然と決まるようになっていた。気がつくと徹也はいつも一緒だった。

彼は今、広告代理店にいる。誰とでもすぐに打ち解け、話し上手であることや面倒見のいいところは、その仕事にぴったりだと思う。

仲間内で就職が決まらなかったのは、結局、曜子だけだった。不況と言われながらも、男の子たちは結構すんなりと決まり、女の子たちは大変ではあったが、地元に帰ったりして、卒業までには落ち着くところに落ち着いていた。コネもなく自宅通勤でもない曜子は、ほとんど書類選考の段階で落とされてしまった。

まさか水泳が仕事になるとはその時まで考えてもいなかった。体育大出身でもない曜子がインストラクターになれたのは、高校時代にインターハイで自由形の東日本ベスト3に入った実績があるからだ。大学時代は大した成績は残せなかったが、水泳を続けていたことが、結局この仕事に繋《つな》がった。

「それで来年はどうなんだ、就職試験受けたんだろう」

「資料請求はしたけどナシのつぶてよ。電話で問い合わせても生返事ばっかり。結局、面接まで行けたのは二社だけ。もちろん落ちたけどね。ただでさえ就職難なのに、就職浪人を採ってくれる会社なんてないわ。もう諦《あきら》めてる」

「そっか……」

曜子の前に熱燗と料理が並んだ。約束通り、徹也の前に揚げ出し豆腐の皿を置いた。徹也が苦笑しながら遠慮する。

「いいよ」

「いいってば。でも、半分だけよ」

それからふたりは軽く乾杯した。泳いだ後は思いがけず喉《のど》が渇いている。水の中にいても、身体の水分はしっかり奪われてしまう。日本酒がみるみる身体に吸収されてゆくのがわかる。

「けど、いつまでも今のままってわけにはいかないだろう」

徹也が揚げ出し豆腐を口の中に放りこんだ。

「そう？」

「フリーターじゃ何の保障もないしさ」

「でも、子供たち相手に水泳教えるのって楽しいわ」

「だろうけど、身体がもつのか。その他にもバイトやってるって聞いたけど」

曜子はちょこを置いて、上目遣いに徹也を見た。

「まゆみね」

「ああ、まあな」

インストラクターの収入だけではとても食べてゆけず、他にデパートのキッチン用品売場で売り子をやっている。スクールは三時からなので、それまでの時間と土日も働いている。フレックス制になっているので、かけもちするには便利なアルバイトだった。

「まゆみも心配してるんだよ」

西出《にしで》まゆみ、彼女もまた大学時代からの友人である。彼女は大手の銀行に勤めている。就職が決まった時、実は親のコネなのよ、と心から恥じるように告白した。曜子は何だか心が暖かくなった。そんなこと少しも気にしなくていいのに。誰でもやっていることなのに。まゆみはそういう女の子だった。

「まゆみったらまた大げさなこと言ったんでしょう。大丈夫だって、そんなにきつくないもの」

「俺も取引先で社員募集してないかって、いろいろ当たってるんだけど、なかなかなくてさ」

曜子は顔を向け、思わず肩をすくめた。

「相変わらずね」

「何だよ」

「面倒見がいいっていうか、他人のこと心配してる場合じゃないでしょう。徹也はまだ新入社員なのよ。そんなことしたら相手会社の機嫌をそこねることになるかもしれないじゃない」

徹也はちょっと頬を膨らませた。

「お節介だって言うのか」

「そうじゃないわ。感謝してる。でも、いいの、これでも私、結構快適に暮らしてるのよ」

「まゆみが言ってたけど、こんな状態だったら、曜子はいずれ仙台に帰ってしまうんじゃないかって。そのつもりなのか？」

「ううん」

曜子は首を振った。

「帰らないわ、ずっとここにいる」

帰れない、帰れるわけがない。実家には、アパートにひとりで暮らす以上の孤独が待っているだけだ。

両親には嘘《うそ》をついていた。就職が決まらなかったとはとても言えず、大手のスポーツクラブに入社したと言ってある。そんな嘘でもつかなければ、母はともかく、父は東京に残ることを許しはしなかったろう。

今夜、曜子はちょっとはしゃいでいた。アルバイトに明け暮れていて、友達とこんなふうに飲むのは久しぶりだった。徹也は会社での失敗話で、曜子を何度も笑わせた。友人たちのその後のことや、すでに思い出になってしまった学生時代の話をしていると、楽しくて時間を忘れてしまいそうだった。

空腹もほどよく満たされ、酔いも気分よく回って、曜子はようやく思い出した。

「そう言えば、電話で話があるって言ってたけど」

「ああ、あれね、いやいいんだ、別に大したことじゃないから」

「何なの、言ってよ」

けれど徹也はなかなか口を開こうとしない。店のおじさんに向かってお湯割りのおかわりを頼んだりしている。

「どうしたの、徹也らしくもない。気になるじゃない」

するとと徹也は新しいグラスに口をつけ、半分ほど喉に流し込んだ。

「あのさ、さっきの話に戻るけど」

「さっきの話？」

「就職のことだよ」

「うん」

「実はひとつどうかなって思うのがあるんだ。けど、そんなに条件がいいとは言えないから、勧められるかどうか」

「どんな仕事？」

「いや仕事っていうか、何ていうか……」

徹也はまたもや歯切れの悪い口調になっていた。いつもの徹也らしくない。徹也はお湯割りを飲み干した。それから意を決したように口にした。

「あのさ、よかったら俺んとこに就職しないか？」

「えっ？」

「俺だけの給料じゃ大変だろうけど、少なくともバイトを掛け持ちする必要はなくなると思うんだ。曜子は水泳のインストラクターだけやればいい」

「それ、どういうこと？」

「いや、いくら何でも早すぎるっていうのはわかってるんだ。俺もさ、曜子がちゃんとした暮らしをしているんなら、これを言い出すのはもっと後にするつもりだったんだ。でも、今の曜子を見てると、放っておけなくてさ」

顔を向けると、思いがけず徹也の思い詰めたような視線とぶつかった。それがプロポーズだということに気がつくまでしばらく時間がかかった。曜子はうろたえて膝に視線を落とした。

「驚いたか、やっぱり」

「……うん」

「だろうな。俺としては徐々に気持ちを固めて来たつもりだけど、曜子にしたらそうだよな。決して返事をせかすつもりはないんだ。ただ、俺がそういう気持ちでいるってこと、曜子にちゃんとわかっておいて欲しかったんだよ。二年後でも三年後でも俺は構わない。だからこのことは負担に思わないでくれよな」

「そんなこと」

徹也はふっと笑みを浮かべた。

「言いたいこと言ったら、スッキリしたよ。まあ今夜はこの話はこれで終わりだ。おじさん、お湯割りもう一杯ね」

徹也はいつもの徹也に戻っていた。そしてその後、確かに徹也はその件について何も言わなかった。

帰りぎわ、支払いのことでちょっと揉《も》めた。徹也が奢《おご》ると言ったからだ。割り勘を主張する曜子に、徹也は少し怒ったように強引に言った。

「こういう時は、素直に男の言うことを聞いておくもんだ」

結局、根負けしたような形で、ご馳走《ちそう》になることにした。

「ごめんね。でも、正直言うと助かっちゃう。今月ちょっと苦しかったの」

「気にすんな。これくらい会社の経費で落とせるんだ。俺だってそれくらいの仕事はちゃんとやってるんだから」

もちろんそれが嘘だということはわかっている。新入社員の徹也が経費で落とせるほど気前のいい会社なんて、このご時世であるはずがない。曜子の負担にならないよう、わざとそんな嘘をついているのだ。徹也は学生時代からそんな男の子だった。そして、そんな徹也の好意が嬉しかった。

徹也を男として意識したことはない、と言えば嘘になる。けれど、それは男の子としての徹也だった。男、という感じではない。あくまで友達の延長であり、仲間の範疇《はんちゅう》だった。まさかプロポーズされるなんて、その時まで想像もしていなかった。

徹也とは自由が丘の駅で別れ、曜子は自転車でアパートに戻って来た。酔いと軽い興奮であまり寒さは感じなかった。ドアを開けると部屋の真ん中に座り込んだ。

ロフト付きのワンルーム。自由が丘と言ってもピンからキリまであり、曜子の部屋はもちろんキリの方だ。築六年だが、駅からは徒歩二十分もかかる。だから自転車は必需品だ。

スイミングスクールにアルバイトが決まった時、ここに引っ越して来た。電気製品もテーブルもクッションも、大学時代のものをそのまま使っている。小物を工夫するのは好きだから、チープだけれども快適な暮らしをしている。

けれどもここには何かが足りない。その足りないものが何なのか、よくわからなかった。たぶん快適さとは裏腹なもの。煩わしくて面倒なもの。それでいて安らぎに繋がっているもの。

結婚、その言葉を口にしてみた。

現実感はまったくなかったが、甘い響きが耳に心地よかった。自分をそんなふうに考えてくれている存在があるということは、曜子の気持ちを柔らかくした。

悪くないかもしれないと思う。徹也との生活はきっと学生時代の延長のような毎日だろう。デパートのバイトは辞めて、好きな水泳だけして、もう月末の入金をハラハラしながら計算しなくてもいい。

その想像は悪くなかったが、結局はそこまでだった。想像から一歩足を踏みだせば、光を受けた感光紙の画像のように瞬く間に散ってしまう。

徹也のことは好きだ。けれども徹也に恋はしていない。その自分を曜子は知っていた。


真之の行動には時々手こずらされた。

勝手に泳いで行ってしまうのはいつものことで、他の子とふざけてなかなかレッスンに入らなかったり、時には溺《おぼ》れた真似《まね》をして曜子を驚かせることもある。どうも曜子をからかっているようだ。時々、本気で怒ってしまいそうになるが、いかにも少年らしい勝ち気さと奔放さを持っている真之を、愛らしくも感じていた。

その日、めずらしく真之は聞き分けのいい子だった。レッスンを終えると真之が寄って来て、耳打ちした。

「あのね」

「なに？」

「今日は陸おじさんが迎えに来てくれてるんだ」

「あら、あの芸術家の陸おじさん？」

「そうだよ。ほら、一番隅っこに立ってる」

そう言って真之はギャラリーを指差した。曜子は真之の指先を追い、顔を向けた。

左端に、チノパンのポケットに手を突っ込み、どこか不機嫌そうに立っている男が見えた。真之が手を振ると、彼はちょっと頰をゆるめた。

「あの人？」

「うん」

彼が真之から曜子へと視線を移した。瞬間、彼の目付きが変わったような気がした。真之に向ける穏やかさは消えて、まるで観察するような容赦ない眼差しが向かって来る。

戸惑いながら、曜子は軽く頭を下げた。彼は少し顎《あご》を引き、挨拶を返すような仕草をした。

「真之くん、陸おじさんって怖い人？」

思わず尋ねた。

「そんなことないよ、すごく優しいし、面白いよ」

真之がきょとんとした表情を向ける。

「そう、ごめんね、変なこと聞いちゃって。早く着替えてらっしゃい」

真之がロッカールームに駆けてゆく。もう一度顔を上げると、彼はまだ曜子を見ていた。それは不躾《ぶしつけ》とも言える目だった。曜子は慌てて背を向けた。決していやらしい目ではない。けれど何もかも見透かしているような目。曜子の水着の中までも。身体が熱くなった。

タオルを手にし、スタッフルームに向かった。意識はまだ背中にあった。ドアの前で立ち止まり、そっとギャラリーを窺《うかが》う。けれどそこにはもう彼の姿はなく、曜子はようやくホッと息を吐き出した。


デパートで曜子が担当している五階のキッチン用品フロアは、和洋食器、グラス類、鍋《なべ》類、ナフキン等、こまごましたものを扱っている。

最初は気楽なつもりで始めたバイトだったがこれで結構気を遣う。ターゲットは主婦層だからクレームがつくことも多い。

また、接客について注意を受けることの中に、万引きがある。その被害額は売り上げに大きく影響を及ぼすほどのものであるらしい。曜子のフロアはまだ少ない方で、文具、書籍、アクセサリー売場などは被害も大きいようだ。

まだ現場に出くわしたことはないが、対処の仕方はかなり難しそうである。決して自分では行動を起こさずフロア主任に報告すること。それがマニュアルとなっているが、とてもデリケートな問題だから、慎重になるのは当然だろう。もし間違えたりしたら謝るだけで済む問題ではない。デパートの信用と体面にかかわることになる。

今日は土曜日で人出も多い。悪戯《いたずら》な子供がくしゃくしゃにして行ったランチョンマットを畳んでいると、声を掛けられた。

「曜子、やってるわね」

振り向くとまゆみだった。

「あら」

「どうしてるかなって、買物のついでにのぞいてみたの。曜子ったらちっとも連絡くれないんだもの」

「ごめん、何だかんだって忙しくて。まゆみはどうしてた？」

「まあまあってところかな。仕事もようやく慣れて来たしね。でも時々、お局《つぼね》さまにいじめられたりもしてるわ」

「いいじゃない、それでこそOLってものよ」

立ち話をしていると、レジの方から咳払《せきばら》いがした。フロア主任の牽制《けんせい》だ。私用のお喋《しやべ》りに関しては厳しいチェックが入る。まゆみもそれに気がついて、首をすくめた。

「ごめん、睨《にら》まれちゃったね。少し時間ない？」

曜子は腕時計を見た。

「あと十五分くらいで休憩に入るの。と言っても三十分しかないけど」

「待っててもいい？」

「もちろん。じゃあ地下の奥にコーヒーショップがあるから、そこにいてくれる？」

「ええ」

まゆみがエスカレーターへと歩いてゆく。その後ろ姿を見ながら、また綺麗《きれい》になったと曜子は思っていた。

就職して、まゆみはどんどん垢抜《あかぬ》けてゆく。ふっくらとしていた頬はいつの間にか引き締まり、化粧は洗練され、ファッションも学生時代のスポーツカジュアルといった感じから、今はラフな中にもエレガントさが加わっている。

そんなまゆみを見ると、気後れのようなものを感じてしまう。彼女に較《くら》べていつまでたっても変わらない自分。一年たっても二年たってもこのままなのだろうか。いや、もしかしたら一生、こうやって足踏みだけを続けてゆく時間を過ごさなければならないのかもしれない。それを想像すると、何だか青い吐息がもれてしまいそうな感覚に襲われるのだった。

休憩の時間が来て、曜子は地下のコーヒーショップに向かった。

エスカレーターで一階まで下りた時、アクセサリー売場を横切る女性が目についた。

「あら……」

真之の母親だった。足早に正面玄関に向かって歩いてゆく。カシミヤのコートの裾《すそ》が翻り、鮮やかな赤い裏地が見えた。手に持っているのは有名なケーキ店の箱だ。優雅な生活が感じ取れた。どこで見ても、どこで会っても、自分とは違う世界の人だと思う。

コーヒーショップに行くと、まゆみは退屈したように待っていた。

「ごめん、遅くなって」

「ううん、私こそ急に来たんだから」

曜子はまゆみの隣りに腰を下ろし、ホットココアを注文した。

地下のコーヒーショップはあまり落ち着ける場所とはいえない。時間をつぶすというより、本当に喉が渇いた客ばかりだから、目的が満たされるとさっさと席を立ってしまう。けれども三十分しか休憩のない曜子には、わざわざ外に出るより時間が有効に使える。

ココアのカップを置くと、それを待っていたかのようにまゆみが尋ねた。

「この間、徹也と会ったんでしょう」

「うん、まあ」

曜子は徹也のプロポーズを思い出し、少しどぎまぎしながら頷いた。

あれから、そのことについてまだゆっくりとは考えていない。確かに嬉しいという気持ちはあるが、それより戸惑いの方が大きかった。

「それで、返事はしたの？」

「え……？」

「とぼけないの、プロポーズされたんでしょう」

まゆみが上目遣いに見ている。曜子は返答に困って、ココアを口に含んだ。

「徹也が喋ったの？」

「ううん、何も言ってないわ。実はこの間、徹也と一緒に飲んだの。その時、ピンと来たのよ、そのつもりなんだなって。だって飲んでても話題にするの曜子のことばかりなんだもの。でも、私は大学の時からわかってたけどね。徹也が曜子を好きってことは」

まゆみの目には、親しさゆえのからかいが感じられる。

「で、どうするの？　徹也と結婚するの？」

「まさか」

曜子は短く答えた。

「あら、まさかってことはないでしょう。徹也とはもう五年近くも付き合ってて、人柄もよく知ってるんだし」

曜子は困って小さく息を吐き出した。

「正直言って、私、よくわからない。徹也のことは好きだけど、ずっと友達だと思ってたんだもの。急にそんなふうに言われても気持ちが追い付かないの。それに結婚なんて、今の私とは全然関係ない話みたい。まだ卒業して一年もたってないのよ。まゆみはどう？ 今、そういうこと考えられる？」

「そうね、まったく考えられないことはないけど、今は仕事が面白くなって来たところだし、やっぱりまだ先って感じかな」

「でしょう。徹也はきっと好きとかいうより、私の生活を見て、危なっかしいって思っただけなんじゃないかな。ほら、面倒見のいいところがあるから放っておけなくなったのよ。きっと私が安定した就職をしていたら、こんな展開にはならなかったと思うわ」

「それは違うわ」

まゆみはきっぱりと言った。

「確かに時期は早いかもしれないけど、徹也の気持ちはまじめよ。それ、曜子だってわかってるでしょう」

曜子は黙ってココアを飲んだ。もちろんわかっていた。ただ、どこかでその程度の気楽なものであって欲しいという願いもあるのだった。真剣だとか、まじめというのは、もう答えを出すしかないような追い詰められた気分になってしまう。

「徹也っていい奴《やつ》よ」

「うん、わかってる」

しばらく黙ってココアを飲んだ。

地下街は食料品の買い出しがピークの時間を迎えていて、活気に溢れている。こういった喧騒が、曜子は嫌いではなかった。

それからしばらく他愛無い話をした。まゆみは先輩ＯＬのお局さまの話を、軽い愚痴を混ぜながら面白く聞かせてくれた。こんなお喋りはすぐに時間がたってしまう。気がつくと休憩時間はもう終わりだった。

「私、そろそろ行かなくちゃ」

まゆみは残念そうな顔をした。

「やだ、もうそんな時間。ね、今度、ゆっくり飲みましょうよ。話したいこといろいろあるの」

「うん」

「じゃあね」

まゆみと別れ、曜子は売場に戻った。

今の生活は、少し金銭的にはつらいけれど、不満に思っているわけじゃない。就職試験に全部落ちた時も、ショックだったけれど何とかなるという楽観的な気持ちもあった。けれどまゆみや徹也のようにちゃんと就職している友人を目の前にすると、自分の立っている場所がとてもあやふやなものに思えてしまう。人間なんて何をしてでも生きてゆける。縛られることなく生きてるんだと自分に言いきかせてみても、それはどこか説得力がないのだった。

それから数日後。

スイミングのレッスンを終えて自転車置場に向かって歩いてゆくと、駐車場に黒い影が見えた。その影はゆっくり曜子に近付いて来る。けれど暗くて相手の顔がよく見えない。影は曜子の前で止まった。

「少し、話してもいいかな」

不意に言われて、曜子は一瞬身構えた。けれどその時になって、それが誰だか気がついた。

「僕を覚えているかな」

「真之くんのおじさんですよね」

「よかった、覚えていてくれて。家まで送るよ」

「いいえ、私は自転車ですからここで伺います」

「そうか、でも立ったままじゃ寒いから、近くでお茶でも飲もうか」

訳がわからない。突然現われて、いったい何の話があるというのだ。けれど彼は先にどんどん歩いてゆく。彼のことは知らないわけじゃない。少なくとも、身元ははっきりしている。別に危険ということはないだろう。曜子は後に従った。

スクールのすぐ近くの喫茶店に入った。明るい光の中で、曜子は初めてじっくりと彼を見た。

ギャラリーから曜子を見下ろした目は、ひどく不躾だった。けれども、こうして向かい合ってみると、少なくともあの時のような容赦のなさは感じなかった。むしろ、少年のような目。それは真之に通じるものがあった。

抱いていた警戒心を解くと、逆に興味を覚えた。真之は芸術家のおじさんだと自慢していた。まだ子供だから、芸術家という意味もわからず言ったのかもしれない。けれども、確かに彼には曜子の回りの人間たちにはない独特の空気のようなものが漂っていた。

「びっくりしただろうな、突然、待ち伏せなんかして」

「ええ……お話って何でしょうか」

ふたりの前に飲み物が運ばれて来た。彼はコーヒーをゆっくりと口に運んだ。曜子より五、六歳上といった感じだろうか。意志の強そうな眉の下に、見るたび印象を変える目。少し癖のある髪が無造作に額に落ちている。細面《ほそおもて》だけれどもひ弱そうな感じはしなかった。

それから曜子は彼の指に目が吸い寄せられた。華奢《きゃしゃ》で長い指。男っぽさとは縁遠い感じがする。けれどもひどく力強い。特別な何かを知っている指、そんな印象があった。

「この間、君を見て、どうしても頼もうと思ったんだ」

曜子は彼の指から視線を上げた。

「何をですか？」

「モデルになってくれないかな」

曜子は思わず紅茶のカップを持つ手を止めた。

「え？」

「どうだろう」

彼と目が合う。とっさのことで曜子はどう答えていいかわからない。

「あの」

「うん」

「真之くんから、あなたが芸術家だって聞きました」

彼は苦笑した。

「芸術家か、参ったな」

「どういうことをやってるんですか？　絵を描いているんですか？」

そこで初めて気がついたようだった。

「そうか、そうだね、いきなりモデルになってくれじゃ、君も困るよな」

「ええ」

彼は自分を紹介した。

「僕は久住陸《くずみりく》という。絵じゃなくて、造形をやってるんだ」

「造形？」

「つまり絵や写真のように平面的なものじゃなくて、立体的なものを作ってる」

「彫刻っていう意味ですか？」

「まあ、それもやるけど、その範囲だけじゃない。手法や形にはこだわってないんだ。作りたいものを作ってる。一度、僕のアトリエに来てみればいいよ。そうすればどんなものを作っているか、すぐにわかるから」

そして彼、久住陸はカップを口に運んだ。また指に目が行ってしまう。そのしなやかな動きは、少しも生活の匂いがしなかった。もっと別なもの、たぶん生活とは程遠いものを摑《つか》み続けている指、そんな気がした。

「実は今、人魚を作ろうと思ってるんだ」

曜子は黙って聞いていた。

「正直言うと、別のモデルを用意していたんだ。でもこの間プールで君を見た時、やはり本当に泳いでいる人間でなければダメだと思った。どうしても筋肉のつき方や、身体の動きが違うんだよ」

確かにそうかもしれないと思う。水泳をやっていると、自然と身体は水にもっとも抵抗のない形へと変化してゆく。曜子の身体もそうだった。

「僕は、童話や絵本に出て来るような人魚を作るつもりはないんだ。強くて逞《たくま》しくて激しいものを考えているんだ。場所によっては、人魚というのは恐ろしい生きものだと言われている。人間を食って何百年も生きているって伝説もあるくらいだからね。そっちの人魚の方が僕はずっと興味がある」

　それからも久住は熱っぽく語った。紅茶のカップに手を伸ばすことさえはばかられ、曜子はただ圧倒されたように聞いていた。

「モデル料はもちろん払う。具体的に言うけど、一日につき一万円のつもりでいる。時間は、そうだな、週に二度、夜に二時間ほど来てくれると助かるんだけど。その条件でどうだろう、引き受けてもらえないかな」

　その金額はかなり魅力に感じた。デパートのバイトは時間給八百三十円だ。たった二時間でその何倍ものお金が入ることになる。

　けれども曜子はやはり簡単に受ける気にはなれなかった。うまい話には必ず裏がある。聞いておかなければならないこともある。

「あの、それはもしかしてヌードになるんですか？」

　いくら時給に惹《ひ》かれても、裸になるのはさすがに抵抗がある。

　彼は少し困った顔をした。

「そうだな、できればそうあって欲しいけれど、嫌だと言うなら水着を着ていてもいい」

それだったらスイミングと同じ状況だ。少し心が傾いた。けれどもうひとつ、言っておかなければならないこともあった。

「それから、私、腿に大きな傷跡があるんです。この間、気がつかれませんでしたか？それでもいいんですか」

意外にも久住は軽く笑った。

「もちろん知ってるよ。とても綺麗な傷だと思った。本当を言うと、その傷に惹かれたんだ。傷を持つ人魚、いいや人魚だけじゃない、生きている者はみな傷を持っている。目に見える見えないにかかわらず。そういったものを僕は作りたいんだ」

その言葉は曜子に軽い衝撃を与えていた。ましてや綺麗な傷などと、そんなことは誰からも言われたことはなかった。

「少し考えさせてもらえませんか？」

「そうだね。じゃあ連絡先を書いておこう。とにかくアトリエに一度来てくれないか。作品を見なければ、君も不安だろうから」

久住はコースターに住所と電話番号を書き込んで曜子に手渡した。

車が走り去るのを、曜子はぼんやり見送っていた。突然の話で、何だか現実感がない。怖いような気もしたし、面白そうな気もした。時給に惹かれたのは確かだが、何より、曜子の腿にある傷を誉めてくれたことが嬉しかった。見れば大抵は驚かれ、同情された。けれど、口にしたことはないが、曜子もまたこの傷をどこかで綺麗だと思っていた。同じ思いを持ってくれたことに対しての、信頼感のようなものを久住に感じていた。


その夜、徹也から電話が入った。

曜子は少し緊張した。今までのような気安さで言葉が出なかった。

曜子の戸惑いを徹也はすぐに察したようだ。けれども少しもそんな素振りは見せない。今までと変わらずざっくばらんな口調で語りかけて来る。そういった気遣いを忘れることがないのが徹也だった。

曜子はモデルを頼まれたことを話した。さすがに徹也はあまりいい反応をしなかった。

――乗り気なのか、それ。

「ううん、そうでもないけど、バイト料が破格なの。それでちょっといいかな、なんて」

――もしかしたら、あのさ、裸になったりするんじゃないのか。

それは徹也のとても控えめな嫉妬のように感じられて、曜子は小さく笑った。

「それはないの。水着でいいって言われてるから」

――ふうん、けど、相手は男なんだろう。

「そう、三十ちょっと前くらい」

徹也は黙ってしまった。たぶん徹也は、自分がどこまで意思を表していいものか迷っているのだろう。まだ恋人ではないふたりの関係に「駄目だ」などと押しつけがましいことを言ってはいけないと思っているのだ。

「しないわ」

――え？

「モデルはしないから」

曜子は口にしていた。

――いいのか。

徹也のホッとしたような返事が返って来た。

「お金は確かに魅力だけど、今のバイトふたつでも何とかやれるから」

そう思えば簡単なことだった。別にやらなければならないことではない。断ればいいのだ。

――もし、金に困るようなことがあればいつでも言えよ。大したことはできないだろうけど。

「ありがとう。でも平気だから」

徹也の言葉は嬉しかったが、頼るつもりなどもちろんない。友達の間にお金を介入させるのは絶対に嫌だった。

――今度、何かうまいもんでも食いに行かないか。観たい映画もあるんだ。

「そうね」

答えながら、曜子は自分に苦笑していた。自分の言葉にどこか甘さみたいなものが感じられていた。それはまだほんの少しではあるけれど、友達ではない特別な何かが存在する約束の仕方だった。

もしかしたら、と思う。もしかしたらこうやって、少しずつ恋というものに近付いてゆくのかもしれない。

その日、スクールが終わると、真之が近付いて来て耳打ちした。

「先生、陸おじさんのモデルになるんでしょ」

「え……」

「いつから？」

「ううん、違うの」

真之は素直だ。びっくりしたような顔つきで曜子を見た。

「えっ、しないの？　どうして？」

「どうしてって」

返答に困ってしまう。

「モデルになってあげてよ。陸おじさんのこと、嫌いなの」

「そうじゃないわ」

「先生は陸おじさんのこと知らないんだよ。陸おじさんの作ったもの見たら、先生もいっぺんで好きになる。すごいんだよ、カッコイイんだ。世界中探したって、どこにもないようなものばっかりなんだから。そうだ、今から一緒に見に行こうよ」

「え……」

「今日、帰りにママと陸おじさんの家に寄ることになってるんだ。ね、いいでしょう。行こうよ。じゃあ僕、着替えたら玄関の所で待ってるから」

「ちょっと待って、真之くん」

けれど、聞きもせず真之はロッカールームへと駆けて行った。

曜子は困ったものだと思いながらも、断るにしてもきちんと説明しなければと思っていた。久住は熱心に話してくれた。それには礼儀をもって返すべきだ。

それに、彼の作品に興味がないわけでもない。モデルはしなくても一度見てみたい気がする。彼が作っている造形美術とはいったいどんなものなのだろう。

着替えてロビーに出ると、真之が母親とソファで待っていた。

「ごめんなさいね、真之が無理なお願いをしたそうで」

「いえ、そんなこと」

「陸があなたにモデルを頼んだ話は、私も聞いてます。気が進まないようでしたら断って頂いていっこうに構いませんのよ。どうぞ、そのことで気を病んだりなさらないでね」

ホッとした。とにかく、断ることを前提として、曜子は広澤夫人の運転する車で久住の家に向かった。自転車は明日までスクールに置いておくことにした。

リアシートに可愛《かわい》らしいギンガムチェックの包みが置いてある。曜子が目をやると、広澤夫人はすぐに気がついたようだった。

「お弁当なの。陸ったら放っておくと何日もまともに食事をしないのよ。だからこうして、時々作って届けてるの」

「そうですか」

静かな住宅街を抜け、車は細い通りを何度か折れながら、古い日本家屋の前に止まった。

車を下りると、真之は一目散に家の中に入って行った。曜子はしばらく家を見ていた。

板塀に囲まれ、門から敷石が敷きつめられ、奥に格子の玄関戸が見えた。時代と格式を感じさせる家だった。けれど、手入れはあまり行き届いてはなく、植木が勝手気儘に枝葉を伸ばしている。

「汚い所でびっくりなさらないでね。どれだけ言っても聞かないの。週に一回家政婦さんを頼んでるんだけど、あそこは触るなここはそのままって、うるさくって家政婦さんも呆れてるらしいわ。知らない人にあまり家の中をかき回されたくないのはわかるけど、本当に困ったものね」

広澤夫人に促されて、門をくぐった。

玄関に放り出された真之のスニーカーをきちんと並べ直し、広澤夫人が中に入ってゆく。その後に曜子は従った。

確かに、広澤夫人が言った通り、中はかなり乱雑な状態だった。玄関からすでに物が溢れている。廊下の両側には美術書や雑誌のたぐいがうずたかく積まれ、その他にも木材やブリキの缶や絵の具箱が無造作に置かれていた。

廊下を進んでゆくと、右に勝手と居間がある。広澤夫人は逆の左側の襖《ふすま》を開けた。そこは庭に面した二間続きの和室だ。合わせると二十畳以上はあるだろう。

ここには何やら訳のわからないものがあった。曜子の足元に転がっている白い固まりは大きな貝殻のような形をしている。けれど形はいびつで貝殻とは断定できない。縁側に置かれてあるのは椅子《いす》かもしれないが、背もたれの部分が人間のような形をしている。おまけに足の長さが違っていて傾いている。座れるとはとても思えなかった。だとしたらこれは椅子ではない。とにかくそんなものが、ごろごろと転がっていた。

何だかわからなくても、それを見ていると曜子は楽しくなって来た。このさまざまなものたちは人を興奮させる何かを持っていた。

奥の部屋に久住の背中が見えた。その久住の手元を、目を輝かせながら覗《のぞ》き込んでいる真之。

広澤夫人が声を掛けた。

「陸、曜子先生をお連れしたわよ」

けれど、久住は振り返らない。

「ああ、ちょっと待ってて」

広澤夫人は申し訳なさそうな顔をした。

「ごめんなさい、今、お茶をいれますから、どうぞ座ってらして」

広澤夫人は台所へと立って行った。

座ると言っても、この中でその場所を探すのは大変だった。別に汚れて困るような服を着ているわけではないが、作品に触れて壊すようなことになってもいけない。

曜子は部屋の真ん中に立ったまま、もう一度アトリエの中を見回した。これが造形美術というものなのだろうか。

太い幹の真ん中をくりぬき、そこに何本ものコイルが詰め込まれている。アルミニウム缶のプルリングばかりを使ったピラミッドのようなものがある。額縁の中にセルロイドの人形がいくつも貼《は》り付けられている。意味がないもの、と言ってしまえばそれまでだが、それはつまり、そういうものに意味など必要とすべきではない、ということでもあるのかもしれない。

いつのまにか真之がそばにいた。

「先生、こっち」

真之に手を引かれて、曜子は久住のそばに近付いた。久住は曜子に目もくれようとせず、熱心に手元を動かしている。

久住が作っているのは人の顔だった。けれど、顔だとわかるまでにしばらく時間がかかった。材料が想像もつかないものだったからだ。麻袋やスェードの切れ端、古いボタン、錆《さ》びた鉄線、種類も質も違う素材を使って、人の顔を作っている。

久住の指はしなやかに動いている。それはとても優雅で逞しい動きだった。

真之が自慢げな顔つきになった。

(ね、すごいだろう)

と、目で言っている。確かに、すごいと思った。この材料から、こんなにも表情のある人間の顔が作り上げられてゆくなんて信じられなかった。曜子も真之と同じように、しばらく久住の手から目が離せなかった。

「曜子先生、どうぞ居間の方にいらして。紅茶をいれましたから。陸も少し休んだら」

広澤夫人から声がかかった。久住の方はとても手を休めそうにない。曜子は広澤夫人と、廊下をはさんだ向かい側の部屋に入った。

　こちらの方は掃除が行き届いている。床にペルシャ絨毯《じゅうたん》が敷かれ、古い、けれども重厚なソファが置いてある。モガやモボと呼ばれた人たちが現われそうな雰囲気だった。すでにガスストーブが焚《た》かれ、部屋は暖められている。

「さあお座りになって。どうせ陸は気が向くまでこちらには来ないでしょうから」

　広澤夫人はソファに腰を下ろし、優雅に紅茶のカップを口にした。曜子も勧められるままに座った。

「素敵なお宅ですね。古くて渋くて、こういう家が東京にもあるんですね」

「昭和初期の建物だと聞いてますけど、詳しいことは知らないの。ここは陸の母親の家で、私は住んだことがないものだから」

　広澤夫人は気楽な口調で言った。言葉の中にはとても重い意味が含まれているはずだった。曜子はどう反応してよいかわからず、黙ったまま紅茶をすすった。

「陸の作品、どうお思いになった？」

　そう言って、広澤夫人は悪戯っぽく笑った。曜子の反応を楽しんでいるようだった。

「とても斬新《ざんしん》で、型にはまらず、自由な発想で……うまく言葉では言えないんですが、見てて、すごく楽しくなってしまいました」

　広澤夫人は満足そうにほほ笑んだ。

「私もそうなの。何だかよくわからないんだけど、ホッとするの。身内のひいき目もあるかもしれないけれど、陸は素晴らしい才能を持ってると思うのよ」

ようやく久住が顔を出した。真之がまとわりつくように一緒にやって来た。

久住は曜子を見ると、ごく簡潔に言った。

「それで、いつから来られる？」

「あの、それは……」

「早い方がいいんだけど、僕は」

正直言うと、曜子は迷っていた。ここに来るまでは断るつもりでいたのだが、アトリエの作品を見ているうちに、惹き付けられるものを感じていた。やってもいいと思うようになっていた。

「先生、やってよ。陸おじさんなら、きっとすごくカッコイイの作ってくれるよ」

その言葉に結局、背を押されるような形になった。

「来週からでいいですか」

そう答えてから、ここに連れて来られたのは、広澤夫人や真之の作戦だったのではないかという気がした。久住の作品を見れば必ずＯＫすると踏んでいたのではないだろうか。

そしてそれは見事に当たっていた。曜子は自分をモデルにして作られた人魚を見てみたいと思っていた。

2　海に眠る蝶

待ち合わせの改札口で待っていると、時間通りに徹也がやって来た。

渋谷の駅前は人であふれていて、徹也は曜子を見つけられず、困ったようにきょろきょろ辺りを見回していた。

「徹也、ここよ」

手を上げて合図をした。曜子を確認すると、徹也の顔にとても親しげな表情が浮かんで、少し戸惑ってしまった。自分たちがここにいるたくさんの恋人同士と同じように振る舞っていることが、曜子を何やら面映《おもは》ゆい気分にさせた。

今までも何度かふたりで待ち合わせたことはある。けれど、あの日から意味が変わってしまったように思う。プロポーズをされたあの日からだ。ただ気楽に会ってお喋《しゃべ》りをする、というのではなく、会うことそのものに意味を持つようになった気がする。

徹也が人をかき分けて近付いて来ると、曜子の肩にかかった大きな紙袋に目をやった。

「何だそれ、すごい荷物だな」

「古着屋で暖かそうなダッフルコートを見つけたの。ちょっとくたびれてるけどフード付きで丈が膝《ひざ》まであるの。ほら、自転車に乗ってるとすごく寒いでしょ。掘出しものよ」

古着に興味を持つようになったのは、学生の時からだ。お洒落《しゃれ》のためというより、もちろん安いからだ。両親に小遣いをねだるということが、曜子にはどうしてもできなかった。もちろん仕送りはしてもらっていたが、授業料と生活費以外については全部バイトで賄って来た。頼めば、両親も出してくれたに違いない。けれど、甘えたりねだったりしようとすると、曜子はとても緊張してしまう。

「持つよ」

徹也が紙袋に手を伸ばした。

「ううん、いい。大して重くないから」

「俺は何も持ってないんだし」

「いいって」

徹也は出した手を、所在なさげに引っ込めた。徹也が気分を悪くしたのではないかという思いがほんの少し横切った。けれども学生時代からそれは当然のことだ。いつだって対等であるということが、仲間という関係を調和させて来たのだ。

道玄坂《どうげんざか》にある映画館で映画を観た。徹也は仕事の関係から招待券を貰《もら》うことが多いらしく、今夜もそれで誘ってくれた。西部劇をビデオでなく観たのは初めてだったのでかなり迫力があり面白かった。

観終わって席を立つと、徹也が素早く曜子の紙袋を手にした。

「あ、いいのに……」

そして先に歩いてゆく。徹也の背中は、曜子の言葉など聞こえないように見える。ようやく交差点で立ち止まった。

「何を食おうか。給料が入ったばかりで、今夜の俺はちょっとリッチなんだ」

「そうね」

と、曜子はしばらく考え、答えた。

「あったかいラーメン」

徹也は少し眉《まゆ》を動かした。そしてまたもや何も言わず、信号が青に変わった横断歩道を渡ってゆく。どんどん勝手に歩いてゆく。曜子は後ろをついてゆく。徹也は歩きながら、目につくいくつかの店を物色していた。それから大きな中華料理店の中に入って行った。

「飯店」と銘打っているような高級な店だ。

「えっ、ここに入るの」

「ああ」

「でも……」

そう言っている間に、チャイナ服に身を包んだ女性が現われ、愛想のいい笑顔でふたりを迎え入れた。席へと案内される。身体《からだ》が隠れるくらいの大きなメニューを渡されて、曜子はすっかり戸惑っていた。

「徹也、何なのいったい」

徹也がメニューから顔を上げた。

「中華料理がいいんだろう」

「私、ラーメンって言ったのよ」

「ここにだってラーメンはあるさ」

徹也はぶっきら棒な言い方をした。曜子はメニューを畳んでテーブルの上に置き、改めて徹也の顔を見た。

「何か怒ってるの？」

徹也はメニューで顔を隠したまま答えた。

「ああ、怒ってる」

「私、何か悪いことした？」

「しないから、怒ってる」

ウェイトレスが注文を取りにきた。徹也はいくつかの料理を注文した。曜子は黙っていた。徹也が食べたいなら曜子が口を出すことはない。徹也は最後に「ラーメンはありますか」と尋ねた。ウェイトレスは少しも動揺せず、丁寧な口調で「五目湯麺《ごもくタンメン》ならございます」と答えた。

「じゃあ、それもひとつ」

ウェイトレスが去ってから、曜子は半ば呆《あき》れたように徹也を見た。

「どういうこと？」

「曜子、俺のこと男と思ってないんだろ」

徹也はテーブルの上で指を組んでいる。まっすぐに向けるその眼差《まなざ》しに、曜子は少したじろいだ。彼が傷ついている様子を感じたからだ。

「そんなことないわ」

その目に屈するように、うつむき加減に答えた。

「俺たちは確かについこの間まで友達だった。友達の原則は対等だってことだ。けれど、いつまでもそれを楯《たて》にして、俺を近付けないようにするのはやめてくれないか。正直に言って、甘えて欲しいんだ。男っていうのは甘えられると嬉《うれ》しいんだ。単純だって思うかもしれないけど、自分の惚《ほ》れてる相手からそうされるのが嬉しいんだよ」

「…………」

「さっきの紙袋にしたって、俺が持つって言っても曜子は拒否した。何か食おうと言ったらラーメンと言った。俺を気遣って遠慮してるんだろう。曜子のそういうところ、いいと思うよ。男を利用する女って多いし、曜子のそういうところが好きになったんだ。でも、今の俺は曜子にそうされるたび一線を引かれてるって気がして、何かこう、疎外感みたいなものを感じるんだよ。俺の身勝手かもしれないけど、少なくとも、友達の時とは違う扱いをして欲しいんだ」

曜子は返す言葉を探した。徹也が真正面から投げて来る思いを、かわすことなどできなかった。

「私」

「うん」

「そんなふうに言ってくれて、とても嬉しい。でも正直言って、よくわからないの。徹也だからとか、友達だからとかいうんじゃなくて、誰かに甘えたりするの、苦手なの。どうしたらいいのかわからないのよ」

「簡単なことさ。気を抜けばいいんだ。自分がラクになればいいんだよ」

「人には簡単なことでも、私にはとても難しいの。そういうこと、しちゃいけない、って思って来たから」

徹也は怪訝《けげん》な顔をした。

「どうしてしちゃいけないんだよ」

曜子は口を噤《つぐ》んだ。そのことをうまく説明できそうになかった。

そこに兄の死が深く関わっていることはわかっている。あの日から、曜子は母に甘えたことはない。甘えてはいけないのだと、自分に言いきかせて来た。それがいつか、誰に対してもひとつの距離の置き方として身についてしまったのかもしれないと思う。けれども、そのことを徹也に伝えられるほど、まだ自分の中ではっきりとした言葉にはなってくれなかった。

料理が運ばれて来た。暖かな湯気をたてて、皿がふたりの前に並べられる。徹也がふっと息を吐き出した。

「俺、曜子を追い詰めてるのかな」

「ううん、そんなことないわ」

徹也のストレートな好意を嬉しく感じながらも、それを受け入れる準備が自分には足りないのだった。徹也の想《おも》いに、身体の蝶番《ちようつがい》をみんなはずすようにして応《こた》えることができたら、どんなに心が安まるだろう。

「俺が何かすると、曜子はいつも困った顔になる」

「違う、ちゃんと喜んでる、嬉しいのよ、本当よ」

「俺ってガサツだしな、的はずれっていうのはあると思うんだ。だとしたら、ごめんな」

「やだ、謝らないで、本当にそんなんじゃないの」

曜子が身をのり出して言うと、徹也は頷《うなず》いた。

「わかった、もうやめよう、こんな話。せっかくご馳走《ちそう》が目の前にあるんだ。こっちに集中しなくちゃな」

そして徹也は笑顔を取り戻すと、箸《はし》を手にした。

「実を言うと、俺、腹ぺこなんだ。映画館でもグーグー鳴って困ったよ。さあ、食うぞぉ」

気が重くなる話題を、ぎりぎりのところでさらりと切り替えてしまう巧みさは、徹也が持っている機転の良さと誠実さだった。

それからふたりは贅沢《ぜいたく》な食事を楽しんだ。気まずさを払拭《ふっしょく》するように冗談を言ったり笑ったりした。もう徹也は曜子を問い詰めるようなことはなかったし、曜子も明るく振る舞った。どうせなら楽しい時間にしたかった。


モデルとして、初めて久住の家を訪ねる日、曜子はいくらか緊張していた。

水着は何着か持っているが、その中でも最もシンプルなものを選んで来た。どうせ競泳用ばかりだから、どれも大して代わり映えはしないのだが、かなり慎重に選択した。

自分の水着姿はいつも大勢の人に見られている。子供たちにスタッフに迎えの母親たちに。けれど閉ざされた空間の中で、水着姿のまま久住とふたりで向かい合うことを考えると、今になってモデルを引き受けたことを後悔しそうだった。

曜子は自分に言いきかせた。

「たった二時間で一万円のバイトよ。何もしないでボーッとしてればいいんだもの、これくらい我慢、我慢」

スクールが終わると、いつもはタオルドライだけで済ます髪にドライヤーを当てた。スタッフの女の子から借りて、少し化粧もした。

「あなたがお化粧するなんてめずらしいわね。デート？」

なんて、からかわれた。考えてみれば、徹也と会う時にもこんなことはしたことがない。せいぜい色つきのリップクリームをつけるくらいだ。何だかそんなことをしている自分が可笑《おか》しかった。

自転車で久住の家に向かった。この間買ったダッフルコートはやはり暖かい。うろ覚えの道を辿《たど》ってゆくと、見覚えのある門構えに到着した。曜子は自転車に鍵《かぎ》をかけ、玄関に入った。

「こんばんは、成井です」

声を掛けると、奥から返事があった。

「ああ、勝手に入ってくれ」

「お邪魔します」

三和土《たたき》でスニーカーを脱ぎ、廊下を進んだ。アトリエになっている部屋の襖《ふすま》を開けると、雑誌を読んでいた久住が顔を向けた。

「時間、正確なんだな」

「よろしくお願いします」

緊張気味に曜子は頭を下げた。

「じゃあ早速準備にかかってもらおうか。風呂場《ふろば》で着替えられるから」

「はい」

そこへ向かおうとする曜子を久住が呼び止めた。

「それから、その化粧は落としてくれないか。シャワーを浴びて髪も濡《ぬ》らして欲しい。コックをひねればお湯が出るようになってるから。タオルは棚の中に入ってるのを適当に使ってくれ」

「……はい」

気を遣ったお化粧もドライヤーも、久住には余計なことだったようだ。曜子は妙に気を遣って来た自分が恥ずかしかった。

風呂場で、着ているものをすべて脱ぎ、頭からシャワーを浴びた。石けんで顔を洗っていると、まるで夜に恋人を訪ねているような気がした。

水着姿になってアトリエに入ると、久住から一角に敷いてあるシートの上に立つよう言われた。久住はデッサン帳を手にしている。その表情はもう違っていた。

「とりあえず、直立不動に立ってみてくれないか」

「はい」

曜子は緊張で身を堅くしながら、言われた姿勢を取った。久住の目がまっすぐに曜子の身体に注がれる。その視線は、初めて曜子が久住と会った時と同じものだった。あの容赦ない目だ。それは芸術家というよりもまるで研究者の目のようだと曜子は思った。

「次は横向きだ」

ひとつの姿勢をとらせて、久住は食い入るように曜子を見つめる。見られるというのは、こんなにも緊張を強《し》いられるものだろうか。久住は今、自分のどこを見ているのだろう。顔、胸、おなか、お尻《しり》、足。爪《つめ》の先から髪の毛までぴりぴりと神経が走った。

「後ろ」

久住の言葉に、曜子はまるで機械仕掛けの人形のように従う。ほんの少し動くだけなのにぎくしゃくしてしまう。

「じゃあ床に座って。片方の膝を立てて、そこに腕を回して」

緊張しているせいもあって、久住の要求がよく理解できない。腰を下ろして片膝を立てても、うまく形が決まらない。手間取っていると久住が近付いて来た。

「こうするんだ」

久住は曜子の足を持ち、形を作った。腕を取り、立てた膝に回す。そんなふうに男に身体を触られるのは初めてで、曜子は緊張だけでなく、ある種の屈辱のようなものを感じた。

「言ってください、自分でやります」

久住の手がわずかに怯《ひる》んだ。容赦ない目にふっと戸惑いが浮かぶ。曜子は唇を嚙《か》んだ。

久住は息を吐き出すと、軽く肩をすくめた。

「悪いが、男に触られているという意識は捨ててくれないか」

「…………」

「僕にそういうつもりはまったくない。ただ思った通りの形を作りたいだけだ」

それは曜子に有無を言わせぬ強引さがあった。それから久住は、まるで自分の身体を扱うような無遠慮さで、曜子の手足を動かしたり、顔の位置を変えたりした。時には二の腕や肩甲骨の辺りを熱心に見つめ、触れもした。不満と羞恥《しゅうち》を感じながらも、曜子は何も言えなかった。

結局、その日はデッサンもせずに終わった。曜子にさまざまなポーズをさせて、久住が眺める、というのを繰り返した。正面から背後から、観察の目を向けて、また手足の位置や顔の向きを変える。これをほとんど二時間続けさせられた。

「今日はこれくらいにしておこうか」

と言われた時、曜子はもう疲れ果てていた。身体から力を抜くと、あちこちの骨がぽきぽきと音を立てた。水泳の練習では一日中トレーニングをしたこともあるのに、この疲れはかなりきつい。

久住を見ると、ついさっきまで曜子を見ていた容赦のない目は、まるで砂が水に崩れるように姿を消していた。穏やかというより、むしろ虚無的な目で肘掛《ひじか》け椅子《いす》に座り込んでいる。

風呂場で着替えて部屋に戻って来ると、久住がコートを羽織っていた。

「時間があるなら、一緒にメシでも食おう」

どうしようか迷っていると、久住はもう鍵をポケットに放りこみ、曜子の背を押していた。

どうせ曜子も今から夕食を作らなければならない。こんな疲れた状態で、家に帰って自炊するのは面倒だった。そして、どこかに久住をもう少し知っておきたいという興味もあった。

「近くに旨《うま》いおでん屋があるんだ」

その店は、歩いてほんの五分の距離にある。久住は顔馴染《かおなじ》みらしく、のれんをくぐるとおじさんの愛想のいい声に出迎えられた。カウンターに座って久住はすぐに冷《ひ》やの日本酒といくつかのタネを注文した。

「君も好きなのを注文してくれ」

「はい」

久住はカウンターの中の人の好さそうなおじさんと気楽に言葉を交わしている。その様子は、少なくとも芸術家などという印象からはかけはなれている。サラリーマンでもなく学生でもなく、かといって警戒を感じさせるような影もなく、存在感がありながらも頼りなさそうで、大人になりきれてない青年といったようにも見える。

曜子は久住を窺《うかが》った。つい観察するような目を向けてしまう。それほど久住はさまざまに印象を変える。真之と一緒の時はまるで同じ少年のように見えた。ギャラリーから曜子を見下ろした時は容赦のなさを感じた。今日は正直言って怖くさえ感じた。そして今は、よくわからない。

「どうだ、ここのおでんは旨いだろう」

不意に久住に言葉を掛けられ、曜子は箸を止めた。

「ええ、とっても。このがんもどきなんかすごく」

「だろう、親爺《おやじ》さんの手作りだからな。僕は生まれた時からここのおでんを食って来たんだ。離乳食で初めて食べたのが、ここの豆腐だっていうから、これで育ったと言ってもいいくらいだ。な、親爺さん」

親爺さんはちょっと照れたように笑った。

久住はかなり飲むようだ。コップに満ちた日本酒を水を飲むようにあけてゆく。それでいて顔に少しも出ない。おでんを誉《ほ》めておきながら、箸よりコップの方ばかりに手が伸びている。

「ところで、君はどうして水泳を始めたんだい？」

久住の質問に、曜子は顔を向けた。

「小さい時事故に遭って、そのリハビリがきっかけです」

「事故っていうのは、あの足の傷かい？」

曜子はチラリと上目遣いで久住を見た。

「ええ、そうです」

「どんな事故だったんだ？」

「兄に乗せてもらったオートバイが、トラックと衝突したんです」

「そうか、それでお兄さんは？」

「死にました」

何故《なぜ》こんなにも簡単にそれを口にしたのか、自分でもよくわからなかった。兄の死について詳しいことは徹也やまゆみにも話していない。それは誰にも立ち入られたくない、曜子の聖域でもあった。久住にはどこか、人の警戒心を解いてしまう不思議な力のようなものがあるのかもしれない。

「聞いてはいけないことだったかかな」

「いいえ、そんなことありません。あの、私も質問していいですか？」

「ああ」

「どうして、造形美術を始めたんですか？」

久住は少し考えるように、カウンターに肘をのせた。

「そうだな、僕はね、とにかくぐうたらして生きていきたかったんだ」

意外な言葉が返って来て、曜子は改めて久住を振り向いた。

「働きたくなかったってことですか」

「そう、だから高校を卒業したらとりあえず進学をしようと思ってた。大学を選ぶにも、いちばん楽できそうな美大を選んだ。美大にも絵画とかグラフィックデザインとかいろいろあるけど、その中でもヒマそうに見えたのが彫刻だったんだ。で、それをやった。けれど彫刻の世界っていうのはちょっと閉鎖的でね、僕の性には合わなかった。それから造形美術という名の、ガラクタを作ることにした」

「ガラクタだなんて、自分の作ってるもの、そんなふうに言っていいんですか」

「君が持つガラクタの概念と、僕のそれが違っているだけさ。ガラクタは君にとっては値打ちのないものかもしれないけど、僕には違うんだ。何の役にも立たない、置いておくのも邪魔なもの、そういうものほど、僕にとっては値打ちがあるんだ」

久住の言葉はうまく理解できなかった。けれども、ガラクタという言葉の中に、久住の自分の作品に対する自信と、生き方の断片が覗《のぞ》いているような気がした。曜子は質問を変えた。

「作品はどのくらいのペースで作ってるんですか？」

「ペース？　そんなものないよ。気が向いた時に、思いついたものを作ってるだけさ」

「あの、それで食べてゆけるんですか？」

さすがに聞きにくいことなので、躊躇《ちゅうちょ》しながら尋ねた。

「まあ、大した額にはならないな」

久住は当然といったように答えた。

「でも、作品は売ってるんでしょう」

「画商が時々やって来て、気に入ったものを選んで持って帰る程度かな。まあ、僕は売れようが売れまいがどうでもいいんだけどね。そんなことまったく気にしてないから」

その言い方に曜子は少し反感を持った。

「いいですね、お金持ちって。生活のことなんか少しも考えずに、好きなことをしてゆけるんですから」

曜子は精一杯の皮肉をこめて言った。毎日、生活費を稼ぐためにアルバイトを掛け持ちしている自分と較《くら》べると、腹立たしくもなった。そんな曜子にすぐに気づき、久住はニヤリと笑った。

「僕を嫌味な男と思ったようだね」

「ええ、とっても」

はっきりと言うと、久住はさも可笑しそうに声を上げて笑った。

「でも、僕がこんなふうにしてるのも、少しは世の中の役に立ってると思ってるよ」

「どうして？」

「僕は確かに金に困らない。そんな僕が一生懸命仕事をしてごらん。ますます金持ちになるじゃないか。ぐうたらして金を無駄に使ってこそ、世の中のバランスが取れるってものだろう」

曜子はすっかり呆れていた。曜子の友人の中にもお金持ちはいるが、大抵はそれを恥じるような部分を持っている。自分が稼いだわけじゃない、ということをちゃんとわかっている。けれど、久住にそれは見えない。むしろそういった境遇を開き直って受け入れている。

「きっと久住さんみたいな人のこと、放蕩《ほうとう》息子って呼ぶんですね」

「その呼ばれ方は光栄だな。誉めてくれてありがとう」

久住にはどこまでが本心でどこまでが冗談かわからないところがある。そんな久住に呆れながらも、芯《しん》からの反感は感じなかった。それは久住に姑息《こそく》さというものが見えないからかもしれない。久住は自分の思い通りに生きている。そのストレートさが、曜子の気持ちにある種の爽快《そうかい》さのようなものを感じさせるのだった。

その夜、アパートに帰ると、久しぶりに仙台の父から電話が入った。

――どうだ、元気にしてるか。

「うん、とっても。そっちはどう」

――相変わらずだ。母さんはここのところ眠れないなんてボヤいているが、大したことはない。いつものことさ。

今頃《いまごろ》の季節、母はいつも不眠に悩まされる。兄の命日が近付いて来るからだ。兄を思う時間が密になって、母の神経は眠ることさえ惜しいと思うようになるのだ。

――実は曜子、今日電話したのは仕事のことなんだ。こっちの知り合いの建築会社で、事務をやってくれる女の子を探しているんだよ。どうだろう、これを機会に仙台に帰って来ないか。いつまでも曜子をひとりで東京に置いておくのは心配なんだ。

その言葉に胸が熱くなる。結局のところ、父に嘘《うそ》をついている。父のことを思うと、いつもその優しさを裏切っているようで心が痛い。

「ごめん、父さん。もう少しこのままでいさせて欲しいの。仕事にも慣れて来て、面白くなって来たところだし」

――そうか。

父は落胆の声を上げた。けれど、それ以上しつこくは言わなかった。

――それで今度はいつこっちに帰って来る、もうすぐ誠一《せいいち》の命日だろう。それには帰れるのか。

「それが……ごめんなさい、わからないの。仕事、今、忙しくて。お正月には帰るけど」

――仕事も大事だが、たまには帰って来て母さんにも顔を見せてあげなさい。

「はい……」

――じゃあ、今、母さんと替わるから。

父が母に受話器を渡している。たちまちのうちに、曜子は緊張する。

――もしもし。

「はい」

――お正月まで帰れないかもしれないんですって？

「仕事が忙しくて」

曜子は同じ言葉を繰り返した。

――そう、それじゃ仕方ないわね。

母もまた受話器の向こうで緊張している。あの日から母と娘の間にできたドアは決して開きはしない。もうノブも朽ち果て、ほんの少しのひっかかりもない。そのドアを見ると、どうしていいかわからず曜子はただぼんやりと立ちつくすしかない。

受話器を置くと、自分の親指に赤く血が滲《にじ》んでいるのを見つけた。どうしたのかと目をこらすと、無意識のうちに逆剝《さかむ》けを剝いていた。

週に二回、スクールが終わると曜子は久住の家に寄っている。

久住は熱心な時もあったが、十分ほどで「やめた」と、あっさり放り出してしまうこともある。訪ねても不在で、玄関先で待たされたこともある。約束の二時間をモデルになったのは最初の日だけだった。

当然のことながら、まだ粘土に手をつけてない。今はデッサンばかりを描き続けている。気紛れな久住を見ていると、本当に作品を作るつもりがあるのか曜子にはわからなかった。

それでも必ずバイト料は正規の分を払ってくれた。十分くらいしかモデルをしなかった時はさすがに受け取るのが申し訳ないような気がしたが、久住は約束だからと決して引っ込めなかった。

曜子は受け取ることにした。久住がお金に困らない立場だというだけではなく、受け取らない方が失礼になると思ったからだ。何もしない、ということも含めて、久住にとってそれが制作の時間でもあるのだということを、曜子もいつか理解するようになっていた。

徹也から電話が入ったのは、一緒に映画を観てから半月ほど過ぎた時だった。

――この間、飲み屋で偶然、まゆみと会ったよ。

「あら、元気だった、彼女」

――曜子がちっとも連絡くれないって怒ってたぞ。

「電話しようと思いながら、つい」

久住のバイトを始めてしまったこともあってか、毎日時間が過ぎるのが早くてならない。一週間にたった二日のことでも、エネルギーは相当消耗しているらしく、今夜こそはと思いながらも、風呂に入ってホッと息をつくと、もう眠くなってしまう。そう言えば、まだ徹也にはモデルを始めたことは言ってない。「やらない」と言った手前、言い出しにくかった。

それからしばらく徹也と他愛無い雑談をした。徹也はいつでもお喋りが上手《うま》く、曜子を楽しませてくれる。徹也の最近の失敗に曜子が笑い声を上げると、ホッとしたように徹也が言った。

――よかった、曜子がこの間のこと気にしてなくて。

「この間って？」

——ほら、俺、余計なこと言っただろう。曜子に気分悪い思いさせたんじゃないかって、ずっと気になってたんだ。だから電話もかけづらかった。

　しばらく何のことかわからなかった。ようやく、中華料理屋で少し言い合ったあのことだと気がついた。

「やだ、そんなの全然気にしてない」

正直言って、忘れていた。ましてや改まって徹也が謝るようなことでもない。もっと辛《しん》辣《らつ》なことを学生時代は言い争ったこともあるはずだ。

——今度、ポスター展があるんだ。うちでやってるイベントなんだけど、なかなか面白いから行ってみないか。

「ええ、そうね」

近いうちに会うことにして、その夜は電話を切った。

少し風が出て来たのか、サッシの窓がギシギシと音を立てている。曜子は立って鍵を確認した。

愛されるということは、もしかしたらこんなことなのではないかと思う。

曜子が思ってもないようなことを、徹也は気にしている。こうして電話を掛けて来るまでの時間、徹也は気を揉《も》んだことだろう。誰かに自分のことを考えられている。知らない所で気遣われている。こういうことが、幸福という言葉と繋《つな》がっているのかもしれない。

けれども、その徹也の想いに、今さらながら戸惑ってしまう自分もいる。愛されることに嬉しさは感じながら、それと同じだけ落ち着かない気持ちになってしまう。

徹也のことは好きだと思う。今、もっとも身近で親密な存在であることも確かだ。ただ、まだ気持ちが熟していなかった。曜子にはもう少し、好意をそれ以上の濃密なものに変える時間が必要だった。


スクールが終わってロビーに出て来ると、ぽつんと真之がソファに座っていた。

「どうしたの？」

尋ねると、真之はリノリウムの床を爪先《つまさき》でつっ突いた。

「ママがまだ来ないんだ」

「あら」

「僕がレッスンを受けてる間に、ちょっと買物して来るって。でも終わるまでには戻って来るって言ったのに」

曜子は隣りに腰を下ろした。

「じゃあ、もうすぐいらっしゃるわ。それまで私も一緒に待っててあげる」

「女の人の買物って長いんだよな。ほんと、参るよ」

　真之の大人びた言い方に、曜子は思わず苦笑した。

「そうね。でも、買物って楽しいんだもの。いっぱい並んでるの見ると、どれにしようかって、つい時間のことを忘れてしまうの。真之くんもおもちゃ売場に行くとそうなることない？」

　真之はちらりと上目遣いをした。

「ゲームソフトの所に行くとね」

「でしょう、だから、おあいこ」

　その時、玄関の自動ドアが開き、小走りに広澤夫人が入って来た。ソファに真之と曜子の姿を認めると、ホッとした顔つきになった。

「ごめんなさいね、こんなに遅くなるつもりはなかったんだけど」

「いいよ、もっとゆっくりでもよかったのに」

　真之が言うと、広澤夫人はちょっと驚いた顔つきになった。

「あら、きっと叱《しか》られるって思ってたのに」

「だって、おあいこだから」

　真之は曜子を振り向き「ね」と相づちを求めた。

「じゃ真之くん、また来週ね」

　曜子は軽くウィンクして、真之の肩に手を置いた。

その時、不意に広澤夫人が言った。

「曜子先生、よろしかったら夕食をいかがかしら」

「え？」

「真之と陸の、ふたりもご迷惑かけちゃってるでしょう、いつかご招待したいと思ってたんですのよ」

真之が隣りで大きく頷いた。

「そうだよ、先生、来てよ。いつもママとふたりで食べてるから、退屈なんだ」

「でも……」

「真之もこう言っておりますし、ぜひ」

決して社交辞令でなく言ってくれているのが感じられた。真之に袖《そで》を摑《つか》まれて、ちょっと嬉しくなる。

「そうですか、じゃあお言葉に甘えさせていただきます」

曜子は有り難く申し出を受けることにした。

自転車を引っ張りながら、曜子は真之と肩を並べていた。広澤夫人は先に車で家に戻り、用意を整えておくという。曜子と真之の影が、アスファルトに浮かんでいる。大きさの違いが何だか愛《いとお》しい。

「今夜、パパはいないの？」

尋ねると、真之はあっさり答えた。

「いつもいないよ。一緒にご飯を食べることなんてめったにないんだ。仕事、忙しいからしょうがないけどね。エラくなるには人の倍働かなくちゃいけないんだって、ママがいつも言ってる」

「そう、大変なのね」

「だから僕はエラくなんかならないんだ。好きなことといっぱいできる大人になりたい。陸おじさんみたいにね」

案内された家は想像通りの豪邸だった。正門は幅十メートルはあるだろう。ふたりは通用門に近付いた。暗証番号で開くようになっていて、真之は手慣れた様子で番号を押した。

右手には広澤夫人が乗っていたベンツが置いてある。隣りのスペースはご主人のだろうか。アプローチは、地面に明かりが埋め込まれていて、玄関まで導くように工夫されている。グレーのタイルと深い色合いの木が落ち着いた雰囲気を醸《かも》し出していた。ドアを開けると、真之は大声を上げた。

「ママ、着いたよ」

色鮮やかな花柄のエプロンをつけた広澤夫人が、奥のドアから姿を見せた。

「さあ、曜子先生、お上がりになって」

笑顔を向ける広澤夫人はとても華やかで、まるでドラマの中に招待されたような気分になった。

食卓にはよく煮込んだビーフシチューが出された。シーフードマリネと温野菜。それらは盛り付けも美しい。パスタとパンが添えられ、ワインはロゼだ。

「最初からそのつもりだったら、もう少し腕を振るったのだけど。今日は有り合わせでごめんなさいね」

けれど曜子には十分なもてなしだった。肉は柔らかくて舌にのせるとあっさり形を崩してしまう。マリネは魚介類がふんだんに使われていて、これだけでもメインディッシュとして十分に通用するだろう。

真之はとてもはしゃいでいた。ついお喋りに夢中になって手が止まってしまい、広澤夫人から注意を受けたりした。

「先生、陸おじさんの人魚はできあがったの？」

真之の質問に曜子はフォークを置いた。

「ううん、まだ」

「なあんだ、まだか。僕、楽しみにしてるんだ」

広澤夫人がワイングラスを置いた。

「弟のきまぐれに付き合うのは大変でしょうけど、よろしくお願いしますね」

「いいえ、大したことしてないんです。モデルと言ってもほんの十分くらいで終わることもあって。こっちこそ、バイト料いただくの申し訳ないくらいです」

食後はアイスクリームを頂いた。それから真之と一緒にテレビゲームをやった。気がつくと、そろそろ九時になろうとしていた。

「真之。もうおやすみの時間でしょう。曜子先生にご挨拶《あいさつ》なさい」

真之は名残り惜しそうにしていたが、やがて「おやすみなさい」と、良家の子息らしくきちんと挨拶をして二階にある自分の部屋へ上がって行った。

「じゃあ、私も失礼します。今日は本当にごちそうさまでした」

「またいらしてくださいね、真之も喜びますから」

その時、電話が入った。ちょっと失礼、と広澤夫人が席を立ち、サイドテーブルの受話器を取り上げた。

「もしもし、広澤でございます」

そして、続いた。

「あら、あなた……」

広澤夫人の声は名乗った時と、明らかにトーンが変わっていた。そこにはひやりとする刺々《とげとげ》しさが含まれていた。曜子は思わず顔を向けた。

「じゃあ、今夜もお帰りにならないのね。そう、わかりました。どうぞお好きなように」

相手がご主人であることには違いないようだが、ここからは広澤夫人の表情は見えない。

肩にかかる髪がかすかに揺れている。

夫人が受話器を戻すと、曜子は慌てて姿勢を直した。聞いてはいけないことだった。曜子はソファから立ち上がり丁寧に頭を下げた。

「じゃあ私、これで失礼します」

心なしか、広澤夫人の頰《ほお》は青ざめて見えた。笑顔を作ろうとするのだが、かなりの無理が覗いていた。曜子を見ているようで、焦点は別の所に絞られていた。その動揺のせいだろうか、広澤夫人の肘が電話の近くに置いてあったバッグに当たった。それは床に落ちて、こまごましたものが散らばった。

「あら、私ったら」

広澤夫人が膝をつき、それらを集める。曜子も手伝った。そしてその中のイヤリングを手にした。

「可愛《かわい》いですね、このイヤリング」

「ああ、それね。ちょっと衝動買いしちゃったの。曜子先生がお気に召したのなら差し上げるわ」

「いいえ、とんでもない」

「いいのよ、私には若すぎるデザインだから。曜子先生にならきっとお似合いだわ」

「でも、今日買ったばかりなんでしょう」

イヤリングは包装はされてないが、値段のタグがまだついたままだ。ましてや一万五千円もの数字がついている。曜子にとっては高級品だ。

「いいのよ、気になさらないで、さあ」

広澤夫人は引っ込めない。それは断るという余裕を相手に許さない強引さがあった。

「そうですか、じゃあ、頂きます。どうもありがとうございます」

外に出て、自転車の鍵をはずし、曜子は振り返った。外灯がぼんやりと家のシルエットを浮かび上がらせている。

曜子のデイパックの中にはさっきのイヤリングが入っている。イヤリングはとても素敵だったし、広澤夫人の好意も嬉しかったが、その渡し方に釈然としないものが感じられた。あの有無を言わせぬ強引さ。それは曜子が知っている広澤夫人ではなかった。ほんの一瞬だが、彼女の中に違う生きものが入り込んでしまったような気がした。

もしかしたら、それにご主人からの電話が関係しているかもしれないと、漠然と考えていた。声のトーンからして、ふたりの間に何かしらの気まずさがあることは察せられた。

曜子は自転車のペダルに足をかけた。


十二月十一日。

この日を、曜子は毎年、息を詰めるように迎える。身体中の細胞は活動を止め、まるでひねり潰《つぶ》されたアルミ缶や部屋の隅の綿埃《わたぼこり》にでもなってしまったようだ。許されるなら何もしない一日を過ごしたい。身体というより、内臓の奥深くにある何かがそれを望んでいる。学生時代は我儘《わがまま》が許された。だから曜子は部屋から一歩も外に出ず、まるで波打ち際に打ち上げられた魚のように過ごした。けれど今はそうはいかない。重い魂を引きずるように、デパートのバイトとスイミングスクールに出た。

久住のアトリエに着いた時は限界だった。魂の疲れは肉体にまで及んでいた。

「今日はやめよう」

曜子の様子を見て、あっさりと久住は言った。

「そんな状態じゃ、無理だろう。帰っていいよ」

「いいんですか？」

「すみません……」

そう言ってから、曜子はうずくまった。立っているのがつらかった。こんなにもダメージがあるとは自分でも気づかなかった。さすがに久住もただごとではないと思ったらしい。

「そんなに気分が悪いのか」

「すみません、しばらく休ませてもらえませんか。少しの間でいいんです」

「いいよ、居間のソファで横になるといい」

久住は曜子の肩を支えるように居間に連れて行った。クッションを整え枕《まくら》にしてくれる。横になると、押し入れから毛布を取り出し、かけてくれた。

「好きなだけ横になっていればいい。僕はアトリエにいるから」

久住はガスストーブに火を入れ、姿を消した。曜子は目を閉じた。

眠りとは呼べない薄いベールのようなものが下りて来る。それは身体を消滅させ、意識だけを敏感にする。帰らなければならない、あの日に。曜子はわかっていた。今日は、あの十年前に帰らなければならない日なのだ。

曜子はあの日へと走りだす。凍《い》てつく風。流れる風景。エンジン音。暖かな背。信号。トラック。衝撃。白いバッシュ……すべてが終わり、すべてが始まったあの日。

ごめん、お兄ちゃん、ごめん。

動かない兄。目を開けない兄。私が乗せてと言った。私が駄々《だだ》をこねた。私が殺した兄。

ごめん、お兄ちゃん、ごめん。

十三歳の私が泣いている。悲しみと恐怖に震えている。

どのくらいの時間が過ぎたのだろう。

「ミルクティをいれたんだけど、飲めるかい？」

その声に目を開けると、覗き込む久住が見えた。

「はい」

曜子はゆっくりと身体を起こした。

「無理をすることはないからね」

「もう大丈夫です」

久住は向かいのソファに腰を下ろした。曜子はテーブルに置いてあるカップを手にした。それはとても温かく、冷たくなった指先に優しく伝わってゆく。

「すみませんでした、ご迷惑をかけて」

「迷惑なんて思ってないさ」

「今日、兄の命日なんです」

曜子はカップを見つめながら言った。

「そうか」

「十年になります。兄の命日には、いつもこうなるんです。何もできなくなって、身体が死んでしまったみたいに。毎年、この日が来るのが怖くて……バイトは何とか行けたんですけど、ここに来たらもう限界で……本当にすみません」

久住がミルクティを口に含む。静かな夜だ。部屋の隅で赤く燃えるガスストーブが、わずかな音をたてている。

「よほど仲がいい兄妹だったんだね」

「大好きでした」

「大好きな人間の死を受け入れるのは難しいものだ」

「今日が来るたびに、思い知らされるんです。兄が死んだってことを」

不意に、久住が言った。

「海を渡る蝶がいるのを知っているかい？」

曜子は顔を上げた。赤い炎が久住の表情に陰影を作り出している。

「いいえ」

「その蝶はある土地で一定の期間を過ごすと、海を渡って別の地に移動するんだ。渡り鳥と同じようにね。けれど蝶は鳥ほど速く飛べるわけじゃない。身体だって小さい。長旅は大変だ。どうしても途中で休まなくちゃならない。でも海の上だ。蝶はどうすると思う？」

「さあ……流木を見つけるとか、船にとまるとか」

「海に下りるんだ」

「海に？」

「ああ、海の上に横たわって身体を休めるんだ」

「溺《おぼ》れてしまわないんですか？」

「僕もそう思った。けれど、波に逆らわず揺れるに任せて、海と一体になってしまうんだ。たぶんその時、蝶は自分が蝶であることを忘れているんだろうな」

「勇気があるんですね」

「恐れている場所が、いちばん安まる場所であるのかもしれないということさ。君にとっての今日も、いつかそうなればいいね」

久住はソファから立ち上がった。

「僕はアトリエに戻るよ。気分がよくなったら帰るといい。声はかけなくていいから」

「はい」

曜子は手の中にあるカップを見つめていた。十二月十一日、今年もこの日が終わる。兄を失い、同時に母を失ったこの日が、静かに更けてゆく。


久住のデッサンは百枚近くにも及んでいた。曜子の姿はあらゆる角度から描かれ、たとえば肩甲骨だけ何枚も描かれたり、指にこだわったり、そこには曜子自身も知らない自分がいた。

そろそろ粘土にとりかかるようだ。久住は骨格となる木の組み立てにかかっていた。針金で木を括《くく》り、繋ぎ合わせて形を整えてゆく。どんな姿になるのか、曜子にはまだわからない。

アトリエの片隅で膝を抱えながら、曜子は久住を見つめていた。曜子が来たことに彼は少しも気づいていない。夢中になると、回りのことに何ひとつ神経が行かなくなってしまう。そんな久住に声をかけるのがはばかられて、曜子は黙って座っていた。

ここに来る週に二日を、曜子はいつか待ち遠しく思うようになっていた。久住に対する自分の変化にも気がついていた。

それはささいなことから始まった。散らかっている部屋につい手を出したくなる。今夜食事はちゃんとしたのだろうかと心配になる。電話の相手が気になる。それがいつから始まったのかはわからない。ただ、そんな自分の変化に戸惑いながらも、少しも嫌がってはいなかった。

「来てたのか」

久住がようやく曜子に気がついた。

「もう一時間も前から」

「ちっとも気がつかなかったな」

そして久住は大きく背伸びをした。

「コーヒーをいれましょうか」

「え?」

「背伸びの後は腕をぐるぐる回して、それからコーヒーでしょう。ここに通ってるうちに、久住さんの癖、覚えてしまいました。それとも何か食べるものでも用意しましょうか。どうせまた、食べてないんでしょう」

久住は苦笑した。

「いや、コーヒーを頼もう」

キッチンでコーヒーをいれ、アトリエに戻って来ると、久住は木枠の前で腕組みをしていた。

「骨格はこれでほぼできあがったから、これからは粘土で肉付けの段階に入る。粘土には雲母《うんも》を混ぜ込むつもりなんだ。きっと面白い皮膚感が出ると思うよ」

「完成はいつ頃ですか？」

久住は曜子が差し出すコーヒーカップを受け取った。

「それはわからないなあ。まあ、できあがる時にはできあがるだろう」

「私、楽しみにしているんです。どんな人魚になるのか」

「それは僕だって同じさ」

自分は久住と共通の目的を持っている。それがたまらなく嬉しかった。

その時、玄関から声が聞こえた。女性の声だ。

「陸ちゃん、いる？　私。上がるわよ」

一瞬、広澤夫人かと思ったが、あの人はあんなはすっぱな声は出さない。もちろん久住をちゃん付けで呼んだりもしない。すぐに襖が開けられて、女性が顔を出した。茶というより金に近い髪を無造作に結い上げている。濃いアイメイク、口紅。そして香水の匂《にお》いが流れこんで来た。

「あら、お客さんだったの？」

「何だ、レイコか」

「何だはないでしょう、こんにちは」

彼女は曜子に向かって笑顔を浮かべた。それは思いがけずストレートな笑顔で、曜子も慌てて頭を下げた。年は自分と同じくらいだろうか。長めのセーターの下から見える派手な模様のカルソンから察しても、明らかに水商売を生業《なりわい》としている様子だった。

「あっ、あんたね、人魚のモデルやってるっていうの」

「ええ、まあ……」

「本当は私がやる予定だったのよ。でも、私の身体じゃ駄目だって言うのよ。私、結構いいおっぱいとお尻してるんだけど、人魚って感じはしないんだってさ。よく言うわよね、触るだけ触っといて」

「おいおい、変なこと言うなよ」

久住が笑っている。でも、嫌がってはいない。冗談かどうかはわからないが、少なくともそんな会話をしても不愉快にはならない間柄であることは確かなようだ。

「それで、何だよ、用事は」

「あら、言ってくれるじゃない。陸ちゃん、最近ちっともお店に顔を出してくれないんだもの、ま、ご機嫌伺いってとこかな」

「なんだ」

「あんまり放ったらかしじゃ、私、浮気しちゃうかもよ」

彼女は久住の肩に腕を回し、甘ったるい声で言った。曜子は目をそらし、デイパックを手にした。

「私、帰ります」

「あら、そう。じゃさよなら」

彼女に言われて、ちょっとムッとする。

「久住さん、今日はもう帰っていいですよね」

「うん、いいよ。ご苦労さん」

「じゃ失礼します」

頭を下げて後ろ手で襖を閉めた。無性に腹が立っていた。女の無遠慮な振る舞い。そしてそれを許している久住。久住の恋人？　まさか。あんな女を好きになるはずがない。

玄関でスニーカーを履いていると、アトリエから彼女の高らかな笑い声が聞こえて来た。三和土にはハイヒールの片方がだらしなく倒れたままになっている。ヒールは七センチはありそうで、爪先は金色の切り替えになっている。何て安っぽい趣味だろう。曜子はスニーカーの爪先で、倒れたハイヒールをわずかに蹴《け》った。そして、玄関を飛び出した。

次の約束の日、久住のアトリエに行くことが億劫《おっくう》だった。

曜子が帰った後、ふたりはどうしたのだろう。そんな想像が、まるで頭の中に小さな虫が紛れ込んでしまったように、うるさくつきまとっていた。

あんな女……。

つい口にしたくなる。そして、彼女を見下すことで自分を落ち着かせようとしている自分が情けなくなる。けれどもこれが嫉妬《しっと》であるということを、曜子はまだはっきりと自覚できてはいなかった。

その日、少し遅れて、久住の部屋へ行くと、人魚の形はほぼできあがっていた。たくさんのデッサンの中から、両膝をつき、天に向かって手を差し伸べているポーズに決まったようだ。

「遅れてすみません」

「いいよ」

短く返事が返って来る。曜子はいつものように風呂場で水着に着替えた。

「このポーズ、とってくれるかな」

曜子は言われた通りの形を作った。

「右手はもう少し高く、顎《あご》を上げて、背中はもっと反《そ》れないかな、いや、もっと。そうだ、そう」

かなり緊張を強いられる姿勢だった。十分も続けていると、腕がだるくなって来る。反った背中も筋肉が疲れて来る。動きながらの疲労は、同時に回復してゆくが、同じ姿勢ではそれもできない。二十分近くたって、休ませてもらおうかと目を向けたが、久住の表情を見て諦《あきら》めた。久住は曜子に言葉を挟ませる余裕を与えなかった。

人魚は久住の手が加えられるに従って、粘土が肉へと変化してゆく。無機質だった白い固まりは、呼吸さえ始めるような皮膚となってゆく。

一瞬、くらっと立ちくらみに似た症状に襲われ、曜子は思わず床に手をついた。正直言って限界だった。あらゆる部分の感覚がなくなっていた。久住もようやくそれに気がついたらしい。

「休憩しよう」

言われて、曜子はぐったりと身体を崩した。額と背中に汗が滲んでいた。しばらくそのままの姿勢でいると、久住が熱いコーヒーを運んでくれた。

「悪かった、こんなに時間がたってるなんてちっとも気がつかなかったよ。つらくなったら、言ってくれて構わないから」

「はい」

曜子はカップを受け取り口に運んだ。香りが立ち昇り、アトリエに広がってゆく。飲み物は生活の句読点のようなものだ。曜子は息をついた。暖かさが身体に沁《し》みてゆくと、ようやく身体が解きほぐされた。不意に久住が言った。

「悪いけど、脱いでもらえないかな」

「え……」

曜子はカップを手にしたまま顔を向けた。久住は肘掛け椅子に座って、人魚を眺めている。

「泳ぎで鍛えられた君の身体を実際に見たいんだ。肩甲骨から下に伸びてゆく広背筋や、脇腹《わきばら》に広がる外腹斜筋はどうなっているんだろう。顎から胸に続く線や、腰からの膨らみも確かめたい」

曜子は黙っていた。すぐに答えられるわけがなかった。脱ぐということは、久住の前で裸の身体を晒《さら》すということなのだ。

「約束が違うことはわかってる。わかってて言ってるんだ。やっぱり抵抗があるかい？」

「ええ……」

「何故だろう、心の中を見せろと言ってるわけじゃないんだ。身体だけでいいんだ。バイト料は二倍出そう」

「バイト料なんて」

曜子は唇を噛む。

「裸になることに理由づけが必要なのかい？　だとしたら、芸術のためとでも僕個人の興味とでも単なるスケベ心とでも、何と思われても構わない。どれも違うし、どれも本当の気持ちだからね。僕は君の裸が見たい」

曜子は答えられない。簡単にはいかない。久住は裸のモデルなど見慣れているかもしれないが、曜子は違う。人前で裸になる。明るい光の中で隅々まで見つめられる。久住に。男に。想像しただけで、羞恥が身体を熱くする。

「やめた」

久住はあっさりと言い、立ち上がった。

「今日はもういい、やめよう」

その言い方がひどく投げ遣《や》りに聞こえて、曜子はまるで自分が責められているような気になった。何故、そんな言い方をされなくてはならないのだ、と反発を感じて顔を上げると、久住はすぐに理解した。

「別に怒ってるわけじゃないさ。怒れる筋合いでもないしね。無理強いするつもりはないんだ。デッサンはたくさんさせてもらった。イメージもほとんどできあがってる。君が嫌だと言うならしょうがない、他の誰かに頼むことにするよ。とにかく、今日はこれで終わりだ」

　曜子は風呂場に向かった。水着から服に着替えようとして、ふっと手が止まった。

　あの人に頼むのだと思った。あのレイコという女性だ。胸が大きくお尻も豊かな肉感的な身体をしていた。それはセーターを通しても十分に察することができた。ようやく形を整えて来た人魚、それは明らかに自分だった。顔も手も足も私のものだ。なのに、水着に隠された部分だけが、あのレイコという女性にすり替えられてしまう。そうやって作られた人魚はもう私じゃない。

　曜子は洗面台の鏡に自分の裸身を映した。胸は小さく、その割にお尻は少し大き過ぎる。不満はたくさんあって、人前に晒すなんて考えられない。けれど人魚が自分以外の誰かの姿に変わるのも我慢できなかった。

　曜子は身体にバスタオルを巻き付けた。襖を開けて声を掛ける。

「久住さん」

「うん、ご苦労さん」

　久住は振り向かないまま答えた。曜子が帰るための挨拶をしに来たと思ったらしい。曜子は足を踏み入れた。

「私、やります」

「え？」

久住が振り向き、バスタオル姿の曜子に少し驚いたようだった。

「無理をすることはないんだ」

「正直言って、無理してます。抵抗もあります。でも、その人魚は私だから。私以外の誰かに変わるなんてことになって欲しくないんです」

「本当にいいんだね」

「はい」

「じゃあ、やってもらおうか」

曜子は定位置に立った。指先はバスタオルの端をしっかりと握り締めている。躊躇すればまた迷い始めてしまう。何かを考え出す前に、何かを意識する前に、曜子はバスタオルを足元に落とした。

見られることの緊張が肌を敏感にする。それは痛みに近かった。

久住を見ないまま、曜子はさっきと同じポーズを取った。腕を高く上げると、水着に押しつけられていた胸が大胸筋によって形を変えるのが自分でもわかった。久住が見たかったのは、そして作りたかったのはこれなのだ。

「力を抜いて」

久住の言葉は簡潔だ。諦めにも似た気持ちで曜子は従う。けれども決して嫌なのではなかった。むしろどこかで解放されたような気持ちがあった。

直《じか》に触れるアトリエの空気は柔らかく心地いい。羞恥という言葉は、もしかしたら裸になることなどではなく、もっと別の時に使われるべき言葉なのかもしれないと曜子は考えていた。

久住が粘土をこねている。あのしなやかな動きの指で曜子の身体を人魚に移し代えている。もちろん、曜子の身体には指一本触れはしない。それでも曜子には、まるで自分の身体を触られているような感覚があった。人魚の頬を触れば曜子の頬の、首を触れば曜子の首の、胸を触れば曜子の胸の、皮膚が熱く熱を帯びて来る。

いつか疲れは感じなくなっていた。伸ばした腕も反った背中も何も感じない。ある意味で神経がひどく鈍くなっているのかもしれないと思う。その代わり、自分の中に不思議な欲望が満ちて来るのを感じた。ずっとこのままの姿でいたい。久住から「今日は終わり」と告げられたくないという思いがある。

これに近い感覚の経験がある。長時間泳ぎ続けていると、極限の疲労の後、不意に身体が楽になる。むしろ陶酔してしまうのだ。〝ハイ〟と呼ばれるその状態は、科学的に解明されている。身体の欲求に応えて、エンドルフィンという脳内麻薬が分泌される。こうなると、永遠に泳ぎ続けられるのではないかと思う。同時に、そうしたいと願うようになる。それと同じ感覚を今、曜子は味わっていた。ずっとずっと続けばいい。永遠にこのままで構わない。

「どうした、大丈夫か」

不安げな久住の声に曜子はふっと現実に戻った。いつの間にか、バスタオルを手にした久住が目の前に立っている。瞬く間にエンドルフィンは消失し、それと同時に日常感覚が戻って来た。曜子は慌ててタオルを受け取り、身体に巻きつけた。

3　箱の中の人魚

水の中はいつも曜子を自由にする。

そこでは身体《からだ》も心もまるで砂糖のようにさらさらと溶けてしまい、何も考えない、何も欲しくない。水は曜子を曜子という人間から解放してくれる。

なのに今、曜子はひとつのことにとらわれていた。こうして泳いでいても胸苦しい。水と皮膚の間に薄い膜のようなものが張り、皮膚呼吸ができなくなる。苦しくなるのは恋の証《あかし》だということを、曜子はもう知っていた。知っているけれど、そこから先はどうすればいいのかわからなかった。

久住のアトリエには週に二度、きちんと通っている。モデルとして裸の身体を晒《さら》すことの抵抗や羞恥《しゅうち》にもようやく慣れた。その代わりに別の部分でそれを感じる。もっと率直なものだ。モデルではなく、久住に惹《ひ》かれていることへの抵抗。惹かれている男の前で裸でいることへの羞恥。

もちろん久住は曜子の身体に触れることはない。けれど曜子はモデルを始める前、まるで今からベッドに入るようにどきどきする。終えると、久住にずっと愛撫《あいぶ》を受けていたように気怠《けだる》さと満足が心地よい疲労を連れて来る。時々、もしかしたら自分はとてもいやらしいのかもしれないと思う。そして、洋服を身につけながらひとりで顔を赤らめてしまう。

子供は新しい知恵を身につけると、熱が出ると言う。曜子も同じだった。曜子は確かに熱に浮かされていた。久住という存在は曜子にとって今まで経験したことのない出来事だった。


同窓会を兼ねたクリスマスパーティを渋谷のパブで催すことになったと、徹也から連絡が入った。街中はもうクリスマス一色に染まっていた。

――クリスマスまでまだ日はあるけど、急に話が盛り上がってさ。わざわざ上京する奴《やつ》もいるんだ。その日、曜子も大丈夫だろう?

「ええ」

曜子は少したまらいながら答えた。

卒業した仲間たちと会えるのは嬉《うれ》しい。会えなかった時間をお喋《しゃべ》りで埋めたいとも思う。けれども、それとは別に区切りをつけなければならないことがある。

徹也は何も変わらない。言っていた通り、返事をせかすようなこともしない。けれども、久住のことを自覚してしまった以上、このままの状態ではいられない。

——パブに行く前にどこかで待ち合わせしよう。わかりにくいとこにあるんだ。知っている喫茶店で会う約束をして、曜子は電話を切った。

徹也のことは好きだ。もしかしたら、このまま恋愛という形に変化してゆくかもしれないと思った時もあった。徹也は優しい。徹也はいつも曜子を理解し、受け入れてくれようとする。そんなストレートに愛情を向けられると、戸惑いながらも、心地よさを感じる。安心とか安定とかが、曜子をふんわりと包み込んでくれる。

けれども、曜子は久住を知ってしまった。そこには徹也から得るものとは対極の気持ちがある。不安やもどかしさだ。なのに、愛《いとお》しい。その矛盾を承知しながら、思いの違いに曜子自身が驚いてしまう。久住の気持ちは何もわからない。レイコという女性のこともある。久住の生きる選択は、彼の作るものと同様、曜子には理解できない部分がたくさんある。それでも、惹かれてしまうのだ。

そして当日。

今日、徹也は少しお洒落《しやれ》をしていた。ひいらぎ柄のネクタイを締めているところなどは、いかにも徹也らしいセンスの良さと遊び心だ。曜子も久しぶりに化粧をし、ミニタイトのワンピースを着ていた。色は深いグリーンでシンプルな形をしている。これも古着屋で買ったものだが、広澤夫人から頂いたイヤリングでかなりパーティドレスらしい雰囲気になっていた。

今日、徹也に話すつもりでいた。そのためにたくさんの言葉を用意して来た。決して相手に喜ばれないとわかっていることを、口にするには長い助走が必要だった。曜子はコーヒーカップを何度も手にしたりソーサーに戻したりした。

待ち合わせの喫茶店は着飾ったカップルたちでいっぱいだ。今夜、この世の中でどれほどパーティが開かれ、どれくらいの恋人たちがふたりの夜を過ごすのだろう。

「めずらしいな、曜子の化粧を見るのは、卒業式以来かな。それに、アクセサリーとか嫌いなのかと思ってたけど、そうでもないんだ」

徹也は今日の曜子に少し驚いているようだった。

「嫌いなんじゃないの、自分じゃなかなか買えないだけ。これはスイミングの生徒のお母さんに頂いたの」

「安心したよ」

「どうして？」

「やっぱりプレゼントしたら、身につけていて欲しいからさ」

　そう言って、徹也はポケットから小さな包みを差し出した。

「これ」

　それはメロンソーダのような儚《はかな》い色のラッピングがしてあった。

「なに？」

「プレゼントだよ。クリスマスプレゼント」

　曜子は困惑した。

「私、みんなで交換するって聞いてたから、それしか持って来なかったの」

「いいさ。僕が勝手にプレゼントするんだ。それで、できたらこれをしてパーティに一緒に行ってもらいたいんだ」

「…………」

「とにかく、開いて」

　躊躇《ちゅうちょ》する気持ちがあった。受け取ってはいけない。もっと事態を悪くするだけだ。そう思いながら、徹也の目に促されるように小箱の包みを手にしていた。同色のビロードのケースを開くと、そこには小さなパールの指輪があった。曜子の肩が落ちる。後悔が波のように押し寄せた。こんなことを徹也にさせる前にきちんと告げるべきだった。

「本番の時はもっと大きいのを贈るよ。だから今回はこれで勘弁してくれよな。サイズは、まゆみに確かめたから、大丈夫だと思うけど」

「徹也……」

曜子はどう言葉にすればいいかわからない。ただ黙って指輪をテーブルに置いた。

「どうした？　気に入らなかったのかい」

徹也が怪訝《けげん》な表情をする。

「ううん、とても素敵な指輪よ……でも、私、受け取れない」

「どうして。遠慮なんかするなよ。そんな高いもんじゃないんだ」

「そうじゃないの」

しばらく沈黙があった。

クリスマスソングがふたりの沈黙を嗤《わら》うかのように、天井のスピーカーから降りそそいでいる。

「つまり、俺は勘違いしていたってことなのか？」

その声には、静かな怒りが含まれていた。曜子は膝《ひざ》の上でぎゅっと拳《こぶし》を握った。

「ごめんなさい」

この言葉は適切ではないかもしれない。徹也を却《かえ》って不愉快にさせるかもしれない。けれども謝るしかなかった。

「理由を聞かせてくれないか？　もし、俺に対して、まだそこまでの気持ちになれないというのだったら、待つよ。この指輪も、その時が来るまで保留しておく」

言えば、徹也を傷つけることになる。けれど嘘《うそ》をつくことはもっと傷つける。体裁を整える断り方をしても、徹也にはたぶん通じない。

「こんなこと、今頃《いまごろ》になって言うなんて、私もどうかしてると思う……私ね、今、好きな人がいるの」

しばらく徹也から言葉は出なかった。喫茶店の中はこんなに浮かれているのに、この席だけがまるで別の世界のようだった。

「本当に……？」

曜子は無言で頷《うなず》いた。

「そのこと、どうしてもっと早く言ってくれなかったんだ」

「ごめんなさい、私も自分の気持ちに気づいたのは最近なの。徹也にちゃんと言わなくちゃと思いながら、今日になってしまって……」

「それで付き合い始めたってわけか、そいつと」

「ううん、その人は、私が好きだということも知らないの。もちろん、その人から何か言われたってこともないの」

さすがに徹也は驚いたようだった。

「何だよ、それ」

「でも、そうなの」

「それで曜子はいいのかよ」

「いいの」

「ちょっと待てよ、俺、釈然としないな。つまり、曜子の気持ちもまだ知らないような男に、俺は負けたってことになるのか」

一瞬、徹也は曜子を責めるような言い方をした。けれども、すぐにそんな自分を恥じたようだった。

「いや、ごめん、俺はそんなこと言える立場じゃないよな。俺たち恋人ってわけじゃなかったし、結局は俺の勝手な思い込みだけだったんだから」

「そんな言い方しないで。徹也のことは好きよ、本当よ。それは大学の時と同じで、今も変わらない」

「つまり、結局はそれ以上になれなかったってことなんだよな」

曜子は再び口を噤《つぐ》んでしまう。徹也が皮肉で言ってるのではないとわかっていても、ひとつひとつの言葉が曜子を追い詰める。無言の後、徹也がソファにもたれかかった。

「けど、曜子の気持ちは曜子のものだ。俺が変えられるわけじゃない。それと同じく、俺の気持ちも俺のものだ。そう簡単には変えられない。俺、やっぱり曜子が好きだよ。フラれたってわかってても、すぐ終わりってわけにはいかない。女々《めめ》しいかもしれないけど、俺にとって惚《ほ》れるってそういうことだからさ」

いっそのこと嫌いだと言ってくれたらいいのに。罵《ののし》ってくれたらいいのに。

「どうやら、今回は引き下がるしか方法がないようだな。でも、もし曜子が俺を必要とする時は、いつでも言ってくれないか。すぐにそばに行くよ。恋人にはなれなくても、何かあったら話して欲しい。頼っても欲しい。そういう関係だけは、これからも残しておいてもいいだろう」

「それでいいの？　それは私の身勝手じゃないの？」

「言っておくけど、これはすべてが本音じゃない。俺は姑息《こそく》なことも考えてる。その男が曜子を好きになるとは限らないだろう。曜子はフラれるかもしれない。そうしたら、今度こそ俺の出番ってものだろう。やっぱり俺の方がよかったって、見直すことになるかもしれないじゃないか。そういう時は、思い切り付け込むつもりだからな、覚悟しとけよ」

徹也は口元を緩め、冗談めかして言った。そんな徹也を前にしていると、誰よりも曜子自身が自分を非難したかった。徹也を拒むなんて自分はとても愚かな人間かもしれない。久住を好きであることに迷いはないが、曜子はふと、自分のこの選択に不安を感じてしまう。

「そんな顔するなよ。俺はこれで結構打たれ強い男だから気にすんな。さてと、そろそろ行かないと遅刻するぞ。今日はパーッと盛り上がろうぜ、パーッと」

徹也は指輪の入ったケースをポケットに戻すと、伝票を摑《つか》んで席を立った。その優しさが、どんな罰よりも曜子を厳しく責める。

どうして徹也じゃだめなのだろう、どうして久住なのだろう。

けれどもその質問をもう自分に向けてはいけない。もう決めたのだ。もう心は決まっている。

パーティには懐かしい顔が揃《そろ》っていた。卒業してまだ一年もたっていないのに、皆それぞれに新しい顔を持ち始めていた。社会に出て失望にも出会っただろうが、それも含めて誰もが輝いていた。

九時を少し過ぎてパーティは終わり、都合のつく者は二次会に流れることになった。

「ごめん、私、今日は帰るから」

化粧室でまゆみに言うと、彼女は口紅を塗り直していた手を止め、少し咎《とが》めるような表情をした。

「どうして？　徹也も行くのよ」

「どうしても抜けられない用事があるの」

徹也とこれ以上顔を合わせているのはつらかった。一緒にいれば、やはり気を遣ってしまう。徹也も同じだろう。そして、ある意味でそういう自分の気遣いが自惚《うぬぼ》れに繋《つな》がるのではないかと感じてしまう。行かない方がいい。その方が徹也のためにも自分のためにも。

「みんなにはうまく言っておいて」

曜子は席には戻らぬまま、パブを出た。

帰りの電車に揺られながら、曜子は窓を流れる景色を見つめていた。何故《なぜ》、久住なのだろう。何故、徹也じゃだめなのだろう。自分に説明がつかない。説明のつかない感情をもし恋と呼ぶなら、やはり、久住に恋をしているとしか言いようがなかった。

けれども、この選択に不安を抱いている自分が曜子は怖かった。久住を愛することに後悔はなくても、もしかしたらとても大切なものを見落としているのではないかという不安がつきまとっていた。

自由が丘の駅に下りて、曜子はアパートとは違う方向に歩きだした。正直な気持ちを口にした後は、自分が何故かとても頼りなかった。久住に会いたかった。

玄関には外灯がぼんやりとついている。戸には鍵《かぎ》がかかっている。久住がいないことを知っても帰る気にはなれなかった。

かなり冷え込んで来たようだ。頰《ほお》に冷たいものを感じて見上げると、墨色の空から雨が落ちて来た。雨には氷の粒が混じっていた。手袋のない指が、凍えて感覚をなくしてゆく。

曜子は息を吹き掛けた。諦《あきら》めてアパートに帰れば、身体を暖めることができる。けれど心の寒さは消えはしない。暖まりたいのは凍えそうな心の中だった。

曜子は待った。久住が帰って来るまで、一晩中でも待つつもりだった。

久住が姿を見せたのは、二時間近くたった頃だろう。今日はもう終わろうとしていた。

「誰？」

玄関の前で足を止め、久住が言った。返事をしようとしたのだが、寒さで唇が強《こわ》ばって声が出ない。曜子は外灯の下に進み出た。

「どうしたんだ」

「………」

「今、鍵を開けるよ。入るといい」

久住は曜子を招き入れると、アトリエのガスストーブに火を入れた。橙《だいだい》色の炎の前で、曜子は膝を抱えた。

「いつから待ってたんだ」

ようやく言葉が口を出た。

「十時、少し前」

「二時間も前じゃないか、この寒い中、どうかしてるよ」

久住の呆《あき》れたような言い方に、曜子は不意に涙ぐみそうになった。

「そう、私、どうかしてるんです」

「とにかく暖かい飲み物でも作ろう。落ち着いたら送ってあげるよ」

アトリエにはさまざまな作品が並べられている。意味を見つけることはできなくても、このすべてが久住の手で作られたことを思うと愛しくなる。中央には、もうすぐ完成する人魚が乾燥を防ぐためにシートをかぶせられている。曜子は近付き、シートを取り払った。触れるとひんやりとした肌。両膝をついている足は、膝辺りから鰭《ひれ》に変わってゆく。自分では触れられない背中に手を滑らせる。私の背骨、私の肩甲骨。曜子と同じ身体を持ちながら、久住の興味と愛撫を一身に受けている人魚。

「あともう一、二回ってところかな、君にモデルに来てもらうのも」

その声に振り向くと、コーヒーカップをふたつ手にした久住が立っていた。

「そうしたら完成ですか？」

「まあ、そういうことだ」

久住はストーブの前に腰を下ろし、床にカップを置いた。久住のシルエットが炎によって曖昧《あいまい》な輪郭に縁取られている。

「久住さん、今夜、作ってくれませんか？」

「今夜って、今から？」

「はい」

久住はカップを手にして、ふうっと息を吹き掛けた。それは曜子の不意の申し出に呆れているようにも見えた。

「僕は気の向いた時にしか作らないんだ。今夜はもう、そんな気になれない」

「お願いします」

けれども、返事は返って来ない。

「お金をもらっていて勝手な言い分かもしれませんが、私にだって気の乗らない時ってありました。でも、我慢してモデルをやりました。久住さんだって、時にはモデルの我儘《わがまま》を聞いてくれてもいいんじゃないですか」

「妙な理屈を言うんだな」

「自分でもそう思います」

久住はしばらく困惑したように曜子を見つめていたが、曜子の後には退《ひ》かないというような意気込みにやがて苦笑した。

「今までいろんなモデルがいたけど、モデルから命令されるなんて初めてだ」

「じゃあ」

「用意をしてくれないか」

「はい」

曜子はいつものように風呂場《ふろば》で服を脱いだ。今夜は化粧をしているので、シャワーで落とした。風呂場は寒かったがもう平気だった。

アトリエに入ると、すでに準備は整っていた。

「ポーズを取って」

短く久住が言い、曜子はそれに従った。膝をつき、背を反《そ》らし、腕を天に差し伸べる。

弾力ある粘土が、久住の指によって、最後の形を整えてゆく。曜子は目を閉じている。閉じていても、今、久住が自分のどこを見つめているか感じることができる。腿《もも》の傷が疼《うず》いている。久住はそれを人魚に刻み込もうとしているに違いない。

水の中にいるような錯覚を曜子は覚えていた。動くことを許されなくても、曜子は自由だった。自由とは、たとえ身体を拘束されても、身体の中を魂が飛び回れることなのだと感じていた。

アトリエの中は静かだ。粘土を押しつけたり削り取ったりする音だけが響いている。いつか人魚に触れる久住の指を、曜子は自分への愛撫と感じていた。肌が熱くふくらんで、露のような潤いが滲《にじ》み始める。曜子は久住を全身で受け入れていた。もう何も考えてはいない。すべての意識を捨て去って、曜子は人魚とひとつになる。

不意に波の音が聞こえて来た。曜子は耳をすまし、波のありかを探そうとする。そして、それが久住と自分との間を往き来する感覚のうねりであることを知る。今、ふたりは海の中なのだと曜子は思った。すべての始まりである海、すべてを呑《の》み込んでしまう海。もう何もかもお手上げなくらい、曜子は満ちてゆく自分を感じていた。

どれくらいたったのだろう。それはほんの十分のようにも、何時間のようにも思われた。

「終わったよ」

声が聞こえなかったのではない。聞こえても理解することができなかった。肩にバスタオルをかけられ、曜子は目が覚めた。目の前に久住の瞳《ひとみ》が見えた。

「君の望み通り、完成したよ」

曜子は身体にバスタオルを巻きつけ、人魚を振り返った。

「いい作品になった、君のおかげだ」

「触ってもいいですか？」

「もちろん」

曜子は人魚に近付き、手を触れた。私の分身、私自身。曜子は口の中で呟《つぶや》く。まだ柔らかい粘土が皮膚の印象を残した。

「もう夜が明ける」

久住は庭に続くガラス戸のカーテンを開けた。うっすらと蒼《あお》い光が部屋の中に差し込んで来た。

「久住さん」

「うん」

「私、ずっとこの人魚に嫉妬《しっと》してました」

曜子は人魚に触れながら言った。久住が振り向くのが背中で感じられた。

「久住さんは私を見ていたけれど、意識はいつも人魚だけに向いてました。生きている私はただの物体で、物体であるはずの人魚の方が生きているんです。私、人魚が妬《ねた》ましかった、私も、そんなふうに触られたいってずっと思ってました」

思いを言葉にして、曜子はたちまち不安になった。久住は今の言葉をどう受けとめただろう。答えは何も返らない。無言がちりちりと焦げるような音をたてて過ぎてゆく。このまま振り返らずにアトリエを出てしまおうか。そうしたら今にも泣きそうな自分の表情を見られずに済む。

不意に、曜子の足元を照らしていた光が遮られた。久住が近付いて来る。背中に自分以外の体温が感じられた時、曜子は久住に抱きすくめられていた。

「私、私……」

「もう、何も言わなくていいよ」

長いキスの後、久住の指が曜子の身体を覆うバスタオルを解いた。そこには裸の曜子がいる。身体だけでなく、曜子は心まですべて脱ぎ捨てた自分を知る。

曜子の身体に指の軌跡が残されてゆく。曜子は立っていられなくなる。床に崩れてゆく。そして久住の指が崩れた曜子を再び作り上げてゆく。顔を首を肩を胸を腰を足を、少しずつ新しい曜子ができあがってゆく。曜子は今、自分が間違いなく人魚になったのだと思った。

耳元では、久住の規則正しい寝息が聞こえている。アトリエの中は暖かく、毛布一枚まとっただけでも寒さは感じない。うつぶせのまま頰を床に押しつけるように眠る久住の横顔を、曜子は飽きずに眺めていた。

ずっとこのままでいたかったが、壁に掛けられた時計の針が、八時を差すのを確認すると、曜子はひとつ息を吐き出した。アパートに戻って、着替えをして、バイトに出掛けることを考えると、そろそろ起きなければならない。腰に巻きついた久住の腕から抜け出すと、彼がうっすらと目を開けた。

「……帰るのか」

くぐもった声で言う。

「バイトに行かなくちゃ」

「……そっか、終わったら、また、おいで」

そしてすぐに眠ってしまう。曜子は久住の髪に触れた。愛しさに容量はない。心の中がいっぱいになり、これ以上は無理と思っても、とめどなく溢《あふ》れて来る。止めるすべさえわからず、ただ自分自身で呆れているしかない。

床に落ちていたバスタオルを巻き、曜子は人魚と向き合った。過ごした時間をずっと見つめられていた。曜子は少し得意になった。曜子は今まで、久住に抱かれている人魚ばかりを見つめて来たのだ。

服を着てキッチンに入った。朝食を作る時間ぐらいならあると、冷蔵庫を覗《のぞ》いてみたが、見事なくらいからっぽだった。仕方なく、彼が起きたらすぐコーヒーが飲めるよう、コーヒーメーカーをセットした。

帰りぎわ、アトリエを覗いても久住は相変わらず眠り続けている。もう一度、毛布にもぐり込んでしまいたい気持ちを抑えて、曜子は家を出た。


デパートでもスクールでも「どうしたの？」と尋ねられた。

「何が？」

と尋ね返すと「何かいいこと、あったんじゃない？」と言われてしまう。しらばくれながら、頬が赤らむのを感じる。幸福があからさまに顔に出てしまう自分が恥ずかしい。その反面、誰かにみんな話してしまいたい気持ちもある。恋は人を饒舌《じょうぜつ》にする。時々、友人から彼との一部始終を聞かされることがある。呆れてしまうぐらいありふれた話でも、彼女にとってはドラマなのだった。今になってその気持ちがよくわかる。恋はいつも特別なものだ。

確かに、曜子は有頂天だった。地面から五センチばかり足が浮いていた。人から見ればぼんやりしていると思われるかもしれない。けれど曜子は忙しかった。頭の中で、身体の奥で、久住のことを考えるのに忙しくてしょうがなかった。

その日、曜子は帰りにマーケットに寄った。からっぽの冷蔵庫が気になっていた。食事よりもお酒を優先させる久住に、少しでも何か食べてもらいたい。料理はあまり得意ではないが、好きな男のためならば、気合いが違う。

自転車の前のカゴにスーパーの袋を詰め込み、久住の家に向かった。ペダルを踏むのももどかしい。抱き合ってからまだ半日しかたっていないのに、百年もたったように思われた。

玄関戸を開ける時、少し躊躇した。嬉しさと恥ずかしさがごっちゃになって、曜子の足を止める。恋はいつも人を臆病《おくびょう》にする。けれども後戻りはできない。

「こんにちは」

できるだけ元気よく声を掛けた。が、返事がない。その時、三和土《たたき》に目が行った。そこには見覚えのあるハイヒールが並んでいた。あっ、と小さく声を上げると同時に、アトリエからレイコが姿を見せた。

「あら、あんただったの、陸ちゃんと待ち合わせ？」

「……ええ」

「そう、ま、上がったら」

レイコはまるで自分の家のように言った。曜子は目を丸くして彼女を見ている。どうしてここにいるのだ。久住が呼んだ？　まさか。

「何やってんの、寒いでしょう、上がりなさいよ」

「あの、久住さんは……？」

「留守みたい」

そう言って、レイコはアトリエに引っ込んだ。じゃあどうやってレイコはこの家に入ったのだろう。一瞬、このまま帰ってしまおうかとも思ったが、帰った後レイコがひとりで久住を待つことを考えると、上がらないわけにはいかなかった。曜子はスニーカーを脱いだ。

アトリエで、レイコは腹ばいになり雑誌を読み始めた。曜子はなるべくレイコを見ないようにして、人魚に近付いた。人魚は表面の粘土がだいぶ乾いて、練り込んである雲母の風合いが微妙な光沢を放っていた。これからじっくりと乾燥させて、ヒビが入ったり崩れたりすれば、そこを補修する。

「できあがったんだね、人魚」

振り向くと、レイコが寝転がったまま顔だけをこちらに向けていた。

「ええ」

「いいね。陸ちゃんの作るものってみんないいけど、その中でも特にいいわ」

「そうね……」

交わす言葉が見つからない。結局、それからふたりはずっと無言で過ごした。どれくらいいたったろう。腕時計に目をやると、そろそろ八時になろうとしている。久住はいつ帰って来るのだろう。そしてレイコはいつまでここにいるつもりだろう。すると、まるで見抜いたかのようにレイコが言った。

「さあて、私はそろそろ帰ろうかな」

レイコが曜子を振り返った。

「あんたはどうする？　この分じゃ、陸ちゃん、当分帰って来ないと思うよ」

「私はもう少し待つから」

曜子は短く答えた。今朝、久住は確かに言ってくれたのだ、バイトが終わったらまたおいで、と。

「じゃ、もし陸ちゃんが帰って来なかったら、この鍵かけて玄関前の植木鉢の下に入れといてよ。そこが緊急隠し場所なの」

レイコはカルソンのポケットから鍵を取り出した。彼女はこの家の鍵の在りかまで知っている、そのことが曜子を傷つけた。

「レイコさん」

「ん？」

レイコはフェイクファーの派手なコートを羽織りながら顔を向けた。

「こんなこと聞くのはとても失礼かもしれないけど、あなたと久住さんって、どんな関係かな、なんて」

言葉尻《じり》がつい卑屈になってしまう。こんなことを聞いてしまう自分が情けなかった。レイコはくすりと笑いをもらした。

「関係？　そうね、どう言えばいいのかしら。ヤッちゃってるかどうかってことなら、ヤッちゃってるけど」

あまりに簡単な答えで、思わず言葉に詰まった。

「あんたもヤッちゃったんでしょう」

「…………」

「さっき、あんたの顔見てすぐわかったわ。前に会った時と全然違うんだもの。女って、そういうのすぐ顔に出ちゃうのよね」

それは聞こえないふりをした。

「じゃあ、あなたは久住さんの恋人ってこと？」

レイコはコートを着たまま、曜子の前に腰を下ろした。

「そうね、私にとっては恋人だけど、陸ちゃんにとってはどうかな。でも、陸ちゃんがどう思っていようがそんなのはいいの。私は陸ちゃんが大好きなんだから」

レイコの言葉はやけにきっぱりとしている。自信さえ感じられるのは何故だろう。

「たとえば、こんなふうにして、ここで私とあなたは顔を合わせてしまったけど、そういうの、あなたはどう思ってるの？」

「しょうがないんじゃない。私が好きになった男だもの、モテるのは当たり前よ。こんなことでショックを受けてたら陸ちゃんのこと好きでなんていられないわ。あんたはどうなの？　私とここで会ったことどう思ってるの？」

「正直言ってショックだわ……」

するとレイコは唇の両端を上げて、愉快そうに笑った。

「あんたさ、まだ陸ちゃんのことよくわかっていないみたいね。女は私だけ、なんて思ってたら大きな間違いよ。あんたがここで会ったのはたまたま私だけだけど、私なんかこういうことしょっちゅうなんだから」

「あなたはそれで平気なの？」

「陸ちゃんのこと好きになるなら、それくらいの覚悟は必要よ。陸ちゃんは決して私だけのものになってくれないことはわかってる。でも、私と会ってる時は私だけの陸ちゃんんだもの。陸ちゃんの何分の一でもいいの、私のものだってところがちょっとあれば、私はそれでいいの」

　それからレイコはアトリエの隅に置いてあるマーケットの袋に目をやった。

「あのさ、余計なお世話かもしれないけど、そういうこと、しない方がいいと思うよ」

「そういうことって？」

「あんた、お料理するつもりだったんでしょう。お料理を作るとかさ、洗濯するとかさ、女って、男を好きになるとつい面倒を見たくなるじゃない。それ、私もわかる。でも陸ちゃんにそれをしちゃおしまい。さっと背を向けてしまうの。必要以上に立ち入って来ると、あの人はぴったり扉を閉じてしまうの。そういう人なの。だから陸ちゃんと付き合いたいと思うなら、女は面倒を見たいって気持ちを抑えなきゃいけないの。言っておくけど、これ、意地悪で言ってるんじゃないからね」

　そう言って、レイコはビーズのいっぱいついたバッグから煙草《たばこ》を取り出し火をつけた。

「ええ、わかってるわ」

「ふうん、あんたって、意外といい子みたいだね。こんな私の言うこと、素直に聞いてくれるなんて」

　考えてみれば、曜子にとって恋敵《こいがたき》とも呼べる相手だった。けれども不思議なことにレイコに対してほとんど敵意は感じなかった。ひとりの女性としてむしろ気持ちのよい印象があった。

「じゃあ、ついでだからもう少し教えておいてあげる。私みたいに約束なしでここに来てもダメよ。こういうのも嫌いなのよね、陸ちゃん」

「じゃあ、あなたはどうして来たの？」

「つい会いたくなっちゃうのよ。それで、来ちゃって陸ちゃんにまた嫌われてしまうんだけどさ。私なんか、すごい現場に出くわしたことあるんだから。もう、別の女ともろ真っ最中なんて時に。あの時はさすがに参ったわ」

「…………」

「私なら立ち直れるけど、あんたは無理でしょ、そういうの、見たら」

「どうして、私にそういうこと言うの」

「まあ、どうしてって言われてもねえ」

「単なる忠告？」

「ひとつはね、これで陸ちゃんを諦めてくれたらいいなっていうのがあるわ。ライバルはひとりでも少ない方がいいもん。ふたつめはね、私、陸ちゃんのことを好きな女と会っちゃうと、何だか他人じゃないって気になるのよ。連帯感っていうのかな、そういうのが湧《わ》いて来るの。私、ちょっと変な奴なのよ」

確かにそうかもしれない。普通だったらもっと不快感を現わしてもよさそうなのに、レイコは何だか女友達と会っているみたいに楽しそうにさえ見える。

「さてと、じゃ私、帰るわ」

煙草を灰皿に押しつけて、レイコは帰って行った。結局、曜子は九時まで久住の帰りを待ったが、戻っては来なかった。マーケットの袋を持ち、玄関の鍵は言われた通り植木鉢の下に隠し、曜子は久住の家を出た。


その夜、久住から電話が入った。

——今、何をしてる？

もう十二時になろうとしている。久住は少し酔っているようだった。

「何にも。そろそろ寝ようかなって思ってたところ」

——じゃあ、おいで。

「え……」

——待ってるからおいで。

そして電話は切れた。曜子は受話器を持ったまましばらくじっとしていた。わずかな反発心が心の隅で顔を覗かせる。約束の時にはいなかったくせに。レイコの言葉が甦《よみがえ》る。彼女ともそういう関係のくせに。それでいて、手はすでに着替えを始めている。久住に会いたがっている自分、抱かれたがっている自分を、曜子はもう止めることはできなかった。

それからの幾日かを、曜子は蜜月《みつげつ》の中で過ごした。

夜、曜子は久住と共に過ごす。二階の寝室も散らかっているのは同じで、最初は違和感を覚えたが、すぐに慣れた。たった数日の間に、半年以上住んだ自分のアパートより、十八年間暮らした実家より、そこは落ち着ける場所になっていた。

「不思議だわ、この家に来ると、何だか生まれた時からここに住んでるみたいな気になるの」

久住の息づかいを頰に感じながら曜子は言う。

「こんな古くて汚い家なのに？」

久住の声はそばで聞くと少しかすれていて、それが耳をくすぐるように心地いい。

「きっとそこが好きなのね。私の仙台の家はいつも綺麗《きれい》に磨き上げられているの。障子の桟に埃《ほこり》がたまったのも見たことないわ。母は家の中はすべて完璧《かんぺき》に管理していて、どこに何があるかもみんな把握してるの。だから耳搔《みみか》きがなくて探し回ることなんて、一度もなかった」

「ずいぶん几帳面《きちょうめん》なお母さんなんだね。僕なんか、もう何十本耳搔きを買っただろう」

苦笑しながら久住がわずかに身体を動かす。するとベッドが揺れて、海に漂う気持ちになる。

「でも、私にはそれが窮屈で息苦しくて仕方なかった。まるで、家の中でも学校の制服を脱いじゃいけないような」

久住がふと尋ねる。

「お母さんと、うまくいってないのかい？」

「…………」

「話したくないなら、言う必要はないけどね」

「十年前、兄が死んだあの日から、私と母の間には大きなドアがあるの。でもノブがないの。だからどう開けていいのかわからないの」

「ノブのないドアか」

「もう一生、開かないかもしれない」

「閉まったままのドアなんてないよ」

「いいの、開かなくても、ここを見つけたから、もういいの」

久住は曜子を抱き締める。そして曜子も久住を抱き締める。抱き合えば抱き合うほど、愛しさは増してゆく。

時々、レイコのことが頭をかすめたが、曜子にはもう関係のない人のように思えた。レイコと確かにそういうことがあったかもしれない。レイコだけでなく他の女性とも。けれども、こうして今、ベッドの中で抱き合っているのは、誰でもない、自分なのだ。特別、という言葉を使いたくなる。レイコでもなく、他の誰でもなく、私は特別であると。


年末になって、曜子は久住の予定を聞いた。

「お正月はどうするの？」

もし、久住が望むなら、帰省をやめてもいいと思っていた。

「まだ決めてない」

久住はさっきからベッドの中で美術書を読んでいる。サイドテーブルのスタンドが、久住の横顔を照らしている。

「そう」

一緒にいようと誘われるかと期待したが、久住はそれ以上は言わない。

「私、仙台に帰るから」

「そうか」

まだ帰省してもいないのに、曜子はもうここに戻る日を待ち遠しく思っている。久住は美術書からなかなか目を離さない。曜子は焦《じ》れったく思い始めている。早く本を置いて、明かりを消して、私に触って欲しいのに。けれどどんなに待たされても、その先にある幸福の時間を思うと、曜子は目が眩《くら》みそうになるのだった。

大晦日《おおみそか》、曜子は満員の東北新幹線に乗った。

帰省するのに、どうしてこんなに緊張しなければならないのだろう。新幹線が北へ向かうに従って、曜子は強ばってゆく自分を感じていた。母と向き合って、どんな笑顔で娘の役割りを演じるべきか。それは兄が死んで十年たってもまだ会得し切れない。

仙台の町は箱庭を大きくしたように美しく整然としている。駅からバスで三十分。歩いて五分。近所のおばさんと出くわすと「こんにちは」と愛想よく挨拶《あいさつ》をする。見慣れた景色、懐かしい匂《にお》い。けれど、それは少しも曜子を癒さない。

ただいま、と勢いをつけて玄関に入った。三和土でブーツを脱いでいると、父が顔を出した。

「おお、帰って来たか」

「うん、ただいま」

そして、母が顔を覗かせる。

「おかえりなさい」

曜子はボストンバッグから駅で買った虎屋の羊羹《ようかん》の箱を出した。

「ただいま」

「これ、おみやげ」

「そう、ありがとう」

今から始まる母と娘の舞台。失敗したくない。失敗してしまったら、十年間が無駄になってしまう。

曜子は仏壇の前に座り、兄に手を合わせた。兄はいつまでたっても十六歳のままだ。もう七つも自分は年上になってしまったが、兄の前では十三歳のあの時に戻ってしまう。

(ごめんね、お兄ちゃん、命日に帰って来なくて。でも、ちゃんと心は会いに行ったから、十年前のあの日に会いに行ったから)

それから、曜子はボストンバッグを持って二階に上がった。よい娘でなければならない。よい娘であることが、曜子に担わされた役柄だ。父には安心させるため、母には償いのため。曜子はボストンバッグからトレーナーとチノパンを出して着替え始めた。

お正月は穏やかにやって来た。

食卓は年の始めにふさわしい料理が並べられた。食卓の一角が永遠の空虚であることを除けば、たぶんどこにでも見られる団欒《だんらん》というものに違いなかった。

三人でいると、曜子はよくお喋りをする。父は朝から気持ちよく飲んでいて、曜子のお喋りが何よりの肴《さかな》になっているようだった。母も年賀状の整理をしながら、時々、曜子に質問を投げ掛ける。

「仕事はいつも何時頃に終わるの？」

「だいたい六時過ぎってとこかな」

それはとても滑らかなやりとりで、曜子も一瞬、母との関係に何ら気に病むところはないような気になる。けれども父が席を立ち、ふたりきりになると、たちまちのうちに空気が変わる。どうやって会話を持続すればいいのかわからなくなる。曜子は狼狽《うろた》え、母は顔を上げない。テレビを点《つ》けたり新聞を読んだりして、父が戻るのを待つ。

三日が限度だった。曜子は東京が恋しかった。そして何より、久住に会いたかった。

三日の午後、部屋で帰り支度を整えていると、父が顔を出した。

「ちょっと、いいか」

「うん、どうぞ」

父は久しぶりに曜子の部屋に入るらしく、ベッドに腰を下ろすと、めずらしそうに見回している。

「なに？」

「ちょっとな」

「私、四時過ぎの新幹線に乗るから」

「今度はいつ帰る」

「うん……まだわからないけど、なるべく近いうち」

「そうか」

そして父は黙り込んでしまう。いつもの父らしくなく歯切れが悪い。もしかしたらと思うと、案の定、切りだした。

「曜子、やっぱりこっちに帰って来る気はないか？」

曜子は帰り支度を続けながら答えた。

「ごめんなさい、そのことは、この間の電話でも言ったけど、今はその気になれないの」

「それはわかってるんだが、実は母さん、最近体調がよくないらしくてな」

曜子は手を止め、顔を上げた。

「よくないって？」

「食欲がないとか、めまいがするとか、眠れないとか、いろいろ症状があるらしい。本人は更年期障害だなんて笑ってるが、ちょっと痩《や》せたようだし、心配でね」

「そう……」

「父さんも仕事で忙しくて、なかなか母さんの相手になってやれないだろう。曜子が帰って来てくれたら、母さんも心強いと思うんだ」

「母さんがそう言ってるの？」

「いや、母さんは何も言ってない。余計な心配をかけたくないんだろう」

父はわかっていない。曜子は唇を嚙《か》んだ。心配をかけたくないのではない。母は曜子と何かを共有することを拒否しているのだ。兄が死んだあの日から、母は愛情だけでなく、苦しみさえもわけ与えてはくれないのだ。

どう答えていいか、言葉が見つからない。黙っていると、父は腰を上げた。

「まあ、今すぐどうこうってことじゃないから、ゆっくり考えるといい」

「うん……」

予定通り、曜子は四時過ぎの新幹線に乗った。父の言葉が胸の中にしこりとなって残っていた。帰ろうとしない曜子を、父は薄情な娘と思っただろうか。兄が死んで、娘の曜子が両親に対して責任を持つことは当然だと思う。けれど、母は望んでいない。お互いに息をひそめ、相手の動きを常に目の端で意識しながら、よき母と娘を演じ続けてゆかなければならない毎日。それを母も知っているのだ。

アパートに荷物を置いて、曜子はすぐに久住の家に向かった。

たった三日会っていないだけなのに、恋しさは喉元《のどもと》までいっぱいで、吐く息さえも切ない色をしていた。玄関から声を掛けると、久住が姿を見せた。もう何度も抱き合ったはずなのに、顔を合わせると何だかとても恥ずかしくて、曜子は少し他人行儀に挨拶をした。

「ただいま」

「うん、お帰り」

久住の後について、アトリエに入る。人魚も曜子を出迎えてくれる。ここが自分にとっていちばん落ち着ける場所なのだと改めて感じる。曜子はアトリエの中にあるさまざまな作品たちに、まるでひとつひとつ挨拶するようにゆっくり見て回った。

「何にも変わってないわ」

久住が苦笑した。

「たった三日じゃ変わるはずがないよ」

「私には、とても長い三日だったから」

「お母さんとは？」

「相変わらず。話していてもフィルターを通してるみたい。もう十年もこうなんだから、これからもきっとこのままなんだろうけど」

「悲しいね、切れた糸の先を探しているうちに、糸はどんどんもつれてしまう。探せば探すほど前より悪い状態になる」

「久住さんは？」

「え？」

「久住さんは、もつれた糸はないの？」

「ないな」

あっさり言った。

「そんなことないでしょう、誰だってそういうのひとつくらいはあるんじゃない」

「ないんだ。僕の糸は最初から誰とも繫がっていないから」

その言葉はとても悲しい余韻を含んでいて、曜子は久住を見つめた。肘掛《ひじか》け椅子《いす》に深く腰を下ろして久住はいつものように穏やかな目をしている。

私とも……？

曜子は尋ねたくなる。私とも糸は繫がっていないの？

その時、電話が鳴り出した。久住は手を伸ばし、床に置いてある受話器を取り上げた。

「ああ、僕だ。そうか、忘れてた。悪かったよ。わかった、今から行くから」

電話を切って、久住が肘掛け椅子から立ち上がった。

「悪いけど、今から出掛けなくちゃならないんだ」

「誰？」

「君の知らない人だよ」

「レイコさん？」

「いや」

「でも、女の人ね」

久住は答えない。たちまち不満でいっぱいになる。

「帰りは遅くなるの？　そうでもないなら、私、ここで待ってる。もしよかったら、その間に食事を作っておくわ、洗濯もしておこうか」

久住はあっさりと言った。

「そんなことをする必要はない」

曜子は思わず顔をそむけた。言ってはいけないと知っていながら、つい言ってしまった自分がみじめだった。

「帰る時間はわからないな。とにかく僕は出掛けるから、君がもう少しここにいたいと思うならいても構わないよ。鍵は植木鉢の下に予備用のが置いてあるから、それで掛けておいてくれればいい」

そして久住はコートを羽織り、出て行った。

曜子はしばらくアトリエの真ん中に座っていた。三日ぶりで会ったのに、曜子をひとり残して行ってしまう久住。電話の相手が女であるということはわかっている。

どういう人？　どういう関係なの？　私を置いてきぼりにしてまで会わなければならな

い人なの？

　それから曜子は首を振った。何もそうと決まったわけじゃない。ひとりよがりな憶測で自分を追い詰めるのはやめよう。

　曜子はさっきまで久住が座っていた肘掛け椅子に腰を下ろした。使い古された椅子は、久住の身体にぴったり合ったへこみを持っている。そこに身体を沈めると、まるで久住に抱き締められているような気がした。

　その時、ふっと指先に触れるものを感じて、つまみ上げた。モケットの布地にからんでいた長い髪の毛がするすると引っ張られた。黒くて真っすぐに伸びた髪。たちまちのうちに、納得したばかりの自分などどこかに行ってしまった。

　レイコの？　いや彼女のじゃない。彼女はもっと茶色くてウェーブがかかっているはずだ。広澤夫人の？　長すぎるわ。じゃあ誰？　ちりちりと肌を焦がすような感覚が広がってゆく。

　曜子は立ち上がり、二階の寝室へと向かった。自分が今からしようとしていることを考える前に足が動いていた。

　ベッドは起きぬけのままの状態だった。布団は半分めくられ、枕《まくら》は端の方に押しやられている。脱ぎ捨てられた久住のパジャマ。読みかけのまま伏せてある単行本。曜子はそれらのひとつひとつに視線を落とし、確かめた。そこに何もないことを知ると、カーペットに膝をついた。丹念にパイル地に目を走らせてゆく。そしてそこに同じものを見つけた。黒く長い髪の毛は曜子の指先からぴんと張りを持って曲線を描いている。

次に曜子のしたことは、ゴミ箱に手を伸ばすことだった。もっと確かなものがそこにあるかもしれない。そう思って中を探ろうとした途端、身体の中から込み上げるように嫌悪感が溢れて来た。何てことをしようとしているのだろう。自己嫌悪はすぐにみじめさに変わった。曜子は唇を堅く結び、寝室を出た。

自分に対する慰めならたくさん思いついた。たとえば、もうずっと前のもの。たとえば、週に一回掃除に来る家政婦のもの。けれどどれも曜子を完全に説得させてはくれなかった。

久住を愛しく思っている。それは文字通り愛と呼んでいいと思う。けれど久住はどうなのだろう。抱き合ったのは身体だけでなく、魂もそうであると感じたのはただの自惚れ？

女の存在は感じていなかったわけじゃない。レイコから聞かされた時も、久住ならそうかもしれないと思った。けれどもそういった女たちは、すべて曜子と出会うための曲がり角のひとつなのだと思っていた。でも、もしかしたら自分もまたその曲がり角のひとつでしかないのかもしれない。久住にとってはただ通過してゆく存在でしかないのかもしれない。

「愛するには覚悟が必要よ」

そう言ったレイコの言葉が改めて思い出される。愛することの選択を、もしかしたら大きく間違えてしまったのではないかという不安が広がってゆく。

アパートへ帰る途中、小刻みに震える身体は、寒さのせいだけではなかった。

久住から連絡があるまでこちらからは電話をしない、そんな決心を胸に抱えて、曜子の毎日が始まった。けれど二日たっても五日たっても久住からの連絡はなく、曜子の苛々《いらいら》はつのってゆく一方だった。

十時から三時までデパートへ、三時から六時までスイミングスクールへ、このリズムにもすっかり慣れていたはずなのに、寝不足のせいもあって朝、ぐずぐずとベッドから離れられなかった。

特に夜がいけない。曜子は何も手につかなくなる。久住のことばかり考えている。電話を見つめている。鳴らない電話が壊れているのではないかと受話器を上げてみる。もちろん壊れてなんかいない。受話器を下ろす。ため息をつく。そして後は眠るしかない夜を憎みながら、ベッドに入る。

自分から電話をかけない、などという決心をしたことを後悔し始めた頃、スクールで真之と顔を合わせた。

「先生、人魚、完成したんだってね」

授業が終わると、真之はすぐにそのことを言った。

「聞いたの？」

「うん、この間、電話で陸おじさんにね。僕、見たいな。ねえ、帰りに陸おじさんのところ寄ろうよ」

「今日はちょっと」

「そんなこと言わずに、ね、いいでしょう」

「そうね……」

行っても決心を破るわけじゃない、曜子は自分に言い訳した。真之が言っているのだからしょうがない。そんな身勝手な理屈に呆れながらも、正直言えば、真之の申し出は渡りに舟だった。

「いいわ、行きましょう」

「ほんと、じゃあ、ママに言って来る」

真之はロッカールームに走って行った。

着替えてロビーに出ると、広澤夫人と真之が待っていた。

「ごめんなさいね、曜子先生、真之がまた我儘を言って」

「いいえ、そんなこと」

しばらく見ないうちに、広澤夫人は少し痩せたようだった。

「ね、いいでしょう、ママ」

真之が広澤夫人の袖《そで》を引っ張った。

「いけません」

広澤夫人は首を振り、曜子に顔を向けた。

「実は今日、私、ちょっと頭痛がしますものですから、ご一緒できませんの」

「だからママだけ先に帰ればいいって。帰りは先生か陸おじさんに送ってもらうから」

「そんな無理を言ってはいけません」

諭されて、真之は拗《す》ねた顔になる。

「私なら構いません。ちゃんとお送りしますから」

「でも……」

「どうぞ、ご心配なく」

曜子の申し出に、広澤夫人も任せるつもりになったようだった。

「そうですか、それではお言葉に甘えてそうさせて頂きます」

「大丈夫ですか。顔色が悪いようですけど」

「ええ、大したことはないですから。じゃ、よろしくお願いしますね」

広澤夫人は真之を託し、帰って行った。曜子たちは裏の自転車置場まで行き、久住の家に向かった。

「お母さん、大したことないといいわね」

真之は少し前屈《まえかが》みで歩いている。

「ここんとこ、ずっとああなんだ」

「風邪かな、最近流行《はや》ってるっていうし」

「きっとパパのことだと思う」

「パパのこと？」

曜子は自転車を引きながら、真之を振り向いた。曜子の胸までもない真之だが、いつもよりもっと小さく、か細く見えた。

「パパとママ、いつも喧嘩《けんか》ばっかり。パパ、ママの他に好きな女の人がいるみたいなんだ。家に帰って来ないのも、仕事が忙しいばかりじゃないんだ」

一瞬絶句し、曜子は慌てて否定した。真之の口からそんなことを聞かされるなんて思ってもいなかった。

「やだ、真之くん、何言ってるの、そんなことないわよ」

「いいんだ、僕だってそれくらいのことはわかるよ。リコンするのかな、パパとママ」

「大丈夫、喧嘩ぐらい誰だってするわ。喧嘩するほど仲がいいって諺《ことわざ》もあるくらいなのよ。真之くんだって、仲のいい友達と喧嘩することあるでしょう」

「あるけどさ」

「それと同じ。またすぐ仲良くなるわ」

「だといいけど」

この小さな身体に、真之は悲しみを潜ませている。両親の様子をどんな瞳で見つめているのだろう。凍った空気を吸い込んでしまったように、胸が痛くなった。

「ねえ、先生。先生は陸おじさんの恋人？」

不意に尋ねられ、面食らった。真之の目に悪戯《いたずら》っぽさが浮かんでいる。返事に躊躇しているると、真之は訳知り顔で頷いた。

「心配しないで、ママにはまだ言ってないから」

「別に、私たち、そういうわけじゃ……」

「あ、先生ったら、照れてる」

「真之くん！」

真之の方が大人なのかもしれない。曜子は感心してしまう。自分の悲しみを口にした後は、バランスを取るようにちゃんと話題を方向転換させてしまう。

久住の家に着くと、自転車に鍵をかけている曜子を残して、真之が玄関の奥に駆けて行った。

「陸おじさん、僕だよ、こんにちは！」

大きな声が聞こえて来る。曜子はわざとゆっくりとした動作で後を追った。会いたいのに会いたくない。会いたくないのに心は弾んでいる。普通の顔でいられますように。さりげない自分でありますように。門から玄関までのほんの短い距離に、さまざまなことを考えた。

玄関に辿《たど》り着いた時、真之が廊下を戻って来るのが見えた。

「あら、どうしたの？」

「先生、帰ろう」

「久住さん、いなかったの？」

それには答えず、真之は靴を履き、玄関を出て行った。曜子は慌てて後を追い掛けた。

「待って、真之くん」

門を出たところで追い付き、真之の肩に手を置くと、彼はようやく足を止めた。

「いったいどうしたっていうの」

「何でもないよ」

真之は目を伏せたまま、曜子を見ようとしない。もしかしたら、と思った。

「中に誰かいたの？」

「……………」

「女の人？」

「帰ろうよ」

真之は曜子の手を引いた。真之がアトリエで見たもの。それが何だったのかだいたいの想像はついた。なのに真之は曜子に何も言わない。それが彼の精一杯の思いやりなのだろう。

「うん、帰ろうね」

曜子は自転車の鍵をはずし、真之と歩き始めた。交わす言葉が見つからなくて、後ろから追って来る自分たちの影から逃れるように、黙々と歩いた。

久住が好きだ。久住を愛している。けれど久住を知れば知るほど、目の前が暗くなる。久住は私を愛していないのだろうか。久住の回りにいる女たちのひとりでしかないのだろうか。愛されたい。愛しているから愛されたい。私だけを見ていて欲しい。この当然の望みを、久住に求めるのはいけないことなのだろうか。

「先生、じゃあ、また」

真之の言葉に、曜子は初めて広澤家の前に来ていることに気がついた。

「おやすみ。また今度ね」

曜子は精一杯の笑顔を作った。真之はいったん背を向け、振り返った。

「先生」

「なあに?」

「僕、早く大人になりたい。そうしたら、先生のこともママのことも、守ってあげられるのに」

真之が門の中に消えてゆく。曜子はうなだれた。あんなに幼い真之に労《いた》わられる自分が情けなかった。真之だって傷ついている。なのに何もしてあげられない。

「ごめんね……」

見えなくなった真之に向かって、曜子は小さく呟いた。


——どうだ、元気にしてるか？

久しぶりに、徹也からの電話だった。徹也は少しも変わらない。あんな断り方をされたら、いくら徹也でももう二度と連絡して来ることはないだろうと思っていた。

「うん、元気よ」

曜子は精一杯明るい声で答えた。

——その分だと、彼氏とうまくいってるみたいだな。

「まあね」

曜子はまだカーテンを引いてない窓に映る自分を見ていた。無表情の顔。喋っている自分と、窓に映る自分は別人だった。

——何だ、がっかりだな。せっかく付け込もうと思ってたのにさ。

心にちくりと針が刺さる。会話が途切れるのが怖くて、曜子はすぐさま尋ねた。

「徹也こそどうなの？」

――彼女か？　まあ、ゆっくり探すさ。俺、これでも結構モテるから心配すんな。

謝りの言葉を言ってはいけない。それは侮辱になる。あくまで明るく、冗談めかしてしまうことが、自分にできる精一杯の罪ほろぼしだ。

徹也は少しも恨みがましいことは言わない。むしろ、曜子のことを喜んでくれているようにさえ感じる。こうして話していると、灼《や》けた思いが静まってゆく。徹也と笑ったり冗談を言い合ったりすることで、久しぶりに心からリラックスしていた。いつか曜子は電話を引き伸ばしていた。もっと徹也と話していたかった。この電話を切れば、また一晩中、久住からの連絡を待ってしまう自分を知っていた。

二十分も過ぎると、徹也も少し不自然なものを感じ始めたらしい。

――何かあったのか？

不意に徹也が言った。

「何かって、なに？」

――曜子、やけによく喋るからさ。

見透かされたようで、曜子は内心慌てていた。

「そう？　普通よ。あらやだ、もうこんな時間なのね。ちっとも気がつかなかったわ。じゃあ切るね」

「——俺は別に構わないけどさ。徹也も明日仕事でしょう。私も相変わらずバイトの掛け持ちだから。じゃあまたね、おやすみなさい」

曜子は早口に言って話を締め括《くく》り、受話器を下ろした。静まり返った部屋の中。もう何もすることがない。また待つだけの夜が深まってゆく。

デパートで広澤夫人を見かけたのはこれで二度目だった。同じフロアのバイトの子と、三十分の休憩を取るため地下のコーヒーショップに行く途中だった。

さりげないお洒落なのだが、相変わらず美しい。生まれの良さというものが身についている。優雅な動作でスカーフを手にする姿は、人目を引くものがあった。あんな美しい人でも夫にとっては足りない何かがあるのだろうか。どんな家族にもそれぞれの事情というものがある。それはわかっていても、広澤夫人が夫とうまくいっていないということは、曜子には信じられなかった。

「どうしたの？」

一緒にいる女の子が尋ねた。

「ううん、何でも」

エスカレーターは一階に到着し、地下へと乗り換える。顔の向きを変えて、もう一度振り向いた。広澤夫人が靴売場の方へと歩いてゆくのが見えた。


今、曜子は久住の家へ向かっている。

ついさっきアパートに電話が入ったのだ。待ちこがれていた気持ちと、こんなにも放っておかれた腹立たしさで、受話器を取ってもなかなか言葉が出て来なかった。

――今からこっちに来ないか？

黙っていると、久住はまるでからかうような口調で言った。

――何だか機嫌が悪いみたいだな。

「どうして電話くれなかったの？」

――だから今、こうしてしてるじゃないか。

そう言われると、とことんまで久住を責められない。曜子は怒りを飲み込んでしまう。言いたいことはたくさんあるはずなのに、久住を不快にさせたくないという思いもあるのだった。それは意識してそうするのではなく、愛という感情にいつの間にか飼い慣らされてしまったということなのかもしれない。愛すると立場は弱くなる。強くなるのは、久住を失いたくないための我慢だけだ。

——じゃあ、またにしようか。

もう電話を待つ夜は限界だった。

「三十分で行くから」

曜子は会える嬉しさと敗北感に揺れながら答えていた。

アトリエに入ると、久住はこちらに背中を見せていた。何か制作にかかっているようだ。

「ちょっと待ってて」

そう言われて、曜子は床に腰を下ろした。

久住の足元に銀色のアルミホイルが落ちている。どうやら今度はそれを素材に使っているらしい。人魚はいつの間にか位置を移され、アトリエの隅の方に置かれていた。それを見ると悲しくなった。そこが曜子自身の位置のように思えてしまう。

三十分近くたってから久住は振り向いた。

「ごめん、待たせたね」

「何を作ってるの？」

「耳だよ」

「耳？」

曜子は久住に近付き、作業台を覗いた。そこには確かにアルミホイルで作られた耳があった。三十センチもあるような大きな耳だ。

「最近、耳に興味が湧いてるんだ。耳って不思議な形をしていると思わないかい？　音を集めるためだけの器官にしては、神様はずいぶん遊び心があるだろう。いろんな素材を使って耳を作りたいと思ってね」

曜子は人差し指でそっと触れた。それは蛍光灯の光を鈍く反射させていた。

「この耳のモデルはどんな人？」

「知り合いだよ」

「女の人？」

「ああ」

「髪は長い？」

「そうだな、まあ長い」

「黒くて真っすぐ？」

久住はコートを手にした。

「メシでも食いに行こうか」

「その前に、少し話がしたいの」

曜子は耳を見つめながら言った。寝室に落ちていたあの髪の毛の女に違いないと思った。

「今？」

「ええ」

「どうしても？」

「そう」

「そうか、わかった」

久住は手にしたコートを元に戻し、いつもの肘掛け椅子に腰を下ろした。

「じゃあ、その話とやらを聞こうか」

久住は落ち着いている。今から曜子の口から出る言葉が、決して愉快ではないということにはとうに気がついてるはずだ。けれどごまかそうとはしない。逃げようともしない。どころか、頬に穏やかな笑みさえ浮かべている。

曜子は振り向き、久住を見た。最初の言葉がなかなか出ない。たくさんの言葉が胸の中で混乱していた。陳腐なことは言いたくなかった。恨みがましいことも口にしてはいけない。けれども、そのふたつが実は最も曜子の言いたいことでもあるのだった。

「どうした、言いたいことは何でも言っていいよ」

やがて曜子は顔を上げた。久住にどう思われても仕方ない、そんな気持ちにもなっていた。


「私は、久住さんにとってどういう存在？」

久住は肘掛けに肘をつき、手のひらに顎《あご》をのせた。

「僕は君が好きだよ」

簡潔な答えが返って来た。

「でも、私だけじゃないでしょう。たとえばレイコさん、あの人のことも好きってこと？」

「ああ、彼女のことも好きだ」

「じゃあ、その、耳のモデルになっている人も？」

久住は一瞬躊躇したが、やがては頷いた。

「まあ、そういうことだ」

曜子は目を閉じた。

「私、わからない、どう理解していいのかわからないの。久住さんは一度にたくさんの女の人を愛せるの？」

「彼女たちはみんな別の人間だ。顔も身体も個性も違う。だからひとりひとりに向かう僕の感情も違う。たくさんというような考え方はしていない」

「同じだけ、みんな愛してると言うの。それは誰も愛してないということと同じじゃないの？」

久住はやや困惑したように唇を結んだ。頬から笑みは消え、その代わりに失望のようなものが広がっていた。

「君は僕に何を望んでいるんだろう」

「私はただ普通の恋がしたいの」

「普通っていうのは、どんなのだ」

「街を歩いているどこにでもいる恋人同士よ」

「それのどこがいいんだ」

「どこがいけないの。恋って結局ありふれたものでしょう。特別な恋なんて、私はいらない。レイコさんに聞いたわ。あなたにはここまでというラインがあるって。それを越えてしまうと、あっさりと背中を向けてしまうって。私、あなたのために食事を作りたい。掃除も洗濯もしたい。お揃いのカップでコーヒーを飲みたい。そういうことを望むのはいけないことなの？」

「…………」

「ううん、いいの、そういうの、あなたが嫌だと言うなら我慢する。でも、他の女性とベッドに入る想像をしなくちゃならない私の身にもなって。私を好きなら、どうしてそんなことができるの。私が苦しまないとでも思ってるの。私はただ安心したい。穏やかな毎日を過ごしたい。　他の女性のことで気を揉んだり、　嫉妬にかられたくないの。　私だけを見ていて欲しいの」

久住は手を伸ばし、作業台に置いてあった煙草を引き寄せた。火をつけ、ゆっくりと煙を吐き出す。紫煙が天井にまで昇りつめると、あっさりと言った。

「そんな恋がしたいなら、それを叶《かな》えてくれる相手を探すことだ」

その言葉は曜子をひどく傷つけた。突き放されたのだと思った。

「それが久住さんの答えなのね」

「僕は君が好きだよ。その気持ちに嘘はない。でも、僕は変わらない。変わる必要もないし、変わりたいとも思わない。僕は僕だ。こんな僕に嫌気がさして、離れてゆくんだったらそれは仕方のないことだ。僕に選ぶ権利はないんだから」

久住の言葉はまるで曜子に何もかも委《ゆだ》ねているように聞こえるが、実のところはその反対だ。つまり、久住の言い分をすべて受け入れて、曜子が何もかも我慢すれば、今まで通り愛してくれるということだ。久住は曜子のために何ひとつ変わろうとはしない。それは自分を変えてまで曜子を必要としていないということだ。曜子は身体から力が抜けるのを感じた。

どんなに愛しても、自分だけを見つめてはくれない男。そんな恋の結末は、曜子にだってわかっている。意地と嫉妬に明け暮れる毎日。劣等感と自己嫌悪。彼の背中に見えるものに憎悪を燃やし、いつか彼自身をも憎んでしまう。引き返すなら今だ。実らないとわかっている恋に、どんな期待を抱こうというのだ。

それでもやはり久住が愛しいのだった。曜子は久住の横顔に目を向けた。額にかかる無造作なその髪も、曜子を素通りしてしまうその瞳も、曜子の心と身体を開かせるその指も、痩せた体躯《たいく》も、鷹揚《おうよう》な振る舞いも、声も匂いも、何もかも愛しくて、とても手放してしまえるとは思えなかった。

「話はこれで終わったね」

「…………」

「後は君が選ぶだけだ」

選択をしなければならない。首を横に振れば、それはすべてが終わるということだ。終わる、終わってしまう、まだ始まったばかりというのに、いや始まってもいないというのに。そして首を縦に振れば、何もかも承知の上で、受け入れる側に立つことになる。

こんな理不尽を受け入れるなんて、見栄もプライドも捨てた女だ。馬鹿な女。愚かな女。わかっていながら、やはり曜子は久住を愛しているのだった。この恋を支えるのはたぶんそれだけ。こんなに久住を愛していても、久住は自分だけを見ていてはくれない。久住を別の女たちと共有しなければならない。愛するだけでは満足できない。愛したら同じだけ愛されたいと望む。それはとても自然な欲求で、無茶や我儘を言っているのではないはずなのに、そうしなければ久住を失ってしまうのだ。

　愛するだけで満足することができるだろうか。愛する分だけ愛されたいという欲求を捨てることができるだろうか。

　それでも今の曜子にとって、久住を失うことの方がずっと怖かった。

「……あなたといたい」

　それは久住に、この恋に、負けを認めるということだった。

　三月も終わりに近付いた。

　そろそろ東京はくすんだ季節に入ってゆく。大陸や海から吹いて来る暖かくて湿った風が街全体を覆うように停滞し、空とビルとの境目さえ曖昧にする。桜の咲く時期が近付いているというのに、北国育ちの曜子には、どちらかというと苦手な季節だった。

　結局、曜子は久住のすべてを受け入れていた。済《な》し崩しと呼んでもいいかもしれない。週に一度か十日に一度、曜子は久住と会う。外で軽い食事をしたりお酒を飲んだりしてから久住の家に戻る。そしてベッドに入る。

　夜遅くに突然電話がかかって来ることもある。「今からこっちに来ないか」と言われると、断ろうと思いながら断れない。結局、久住の元へと向かってしまう。そんな状況がもう二ヵ月近くも続いていた。

曜子はまるで聞き分けのいいペットのようにルールを守った。生活に手を出さない。突然訪ねない。我儘を言わない。久住の予定にすべて合わせる。他の女性について詮索《せんさく》しない。頷くことしか知らない女。情けないと思う。最低だとも思う。けれど、もしまた要求を口にだせば、きっと久住は曜子を切るだろう。それが怖かった。

それでも、曜子は呆れてしまうほど幸福だった。久住は優しい。久住の愛撫は恍惚《こうこつ》をもたらしてくれる。そして、たまらなく不幸だった。ひとりでアパートにいる夜は、胸をかきむしりたくなるほど孤独だった。

危うい気持ちを今は何とかコントロールしている。けれども、それがいつまで持つか、曜子にはわからない。次に会った時、別れを口走ってしまいそうな気もする。また永遠に久住を受け入れてしまいそうな気もする。持ちこたえられなくなった時、自分はどうするのだろう。それは曜子にも想像がつかない。

まゆみとこんなふうに会うのは、年末の同窓会以来だった。

会社帰りのまゆみは、いかにも春らしいミントグリーンのスーツを着ていて、ＯＬとしての雰囲気もすっかり板についていた。

まゆみが行こうと言ったのは、青山のレストランで、それは住宅街の中にひっそりと建っていた。派手な看板もなく、入り口は一見普通の家のようにしか見えない。けれども中はシックな雰囲気に包まれ、意外と広い。

「言ってくれたら、もう少しちゃんとした格好をして来たのに」

曜子は白いブラウスに生成《きな》りのカーディガンを羽織り、チノパンをはいている。

「気にすることはないわよ。私たちはお客なんだもの」

まゆみは少しも頓着《とんちやく》しない。もともとお嬢様育ちのまゆみは、こういう場所でも決して臆《おく》するようなところはなかった。曜子といえば、財布の中身が気になっていた。一万円札が一枚と千円札が二、三枚。それで足りるだろうか。どんなに安く見積もっても、十時から三時までのデパートのバイト料が飛んでしまうぐらいはするだろう。

曜子の不安をまゆみはすぐに感じとったようだった。

「今日は私の奢《おご》りだから」

「何言ってるの、割り勘に決まってるじゃない。それくらい私だって払えるんだから」

「そんなつもりで言ったんじゃないの。誘ったのは私だし、今日は曜子にちょっと聞いてもらいたいこともあるから」

窓際の席に案内され、メニューが運ばれて来た。何をどう選べばいいのかわからない。まゆみがメニューから顔を出した。

「ねえ、シェフのお薦めディナーBコースっていうのはどう？」

「うん、いいわね」

「後は、ハウスワインね」

ワインとオードブルが並ぶ。グラスを持ち上げ、軽く乾杯をする。テーブルの向こうでまゆみがにっこりとほほ笑む。また綺麗になったと思う。

しばらく同窓会のことが話題になった。いちばん奥手で通っていた友人が早々に婚約をしたそうだ。二次会で口を割り、散々みんなに冷やかされたという。そんな話題は楽しくて曜子はよく笑った。久住のことを思う以外、どこかうわの空のように生きている毎日に、ふっと暖かな空気が流れこんで来たような気がした。

「ところで、徹也のこと振ったんだってね」

食事がメインディッシュに入って、不意にまゆみが言った。思わずナイフとフォークを持つ手がぎこちなくなる。

「この間、徹也に電話したの。私、うまくいってるものとばかり思ってた」

曜子はひと呼吸置いてから答えた。

「振ったとか、そういうんじゃなくて、もともと私と徹也は友達だし、これからもそういう付き合いのままでいようってことになっただけよ」

「それが振ったってことじゃない。徹也はそういう関係から一歩先に進みたかったわけでしょう」

「…………」

「あの指輪も無駄になったのね。せっかく一緒に選んであげたのに。私、てっきり同窓会の時にはめて来ると思ってたのに、曜子、してなかったでしょう。あの時に変だなとは思ったのよ。ねえ、徹也のどこが嫌いなの？　いい奴じゃない。曜子のこと、きっと幸せにしてくれるわ」

「嫌いなんて思ってない。私だって徹也が好きよ」

「でも男じゃなくて、友達としてなのね」

まゆみの声にはいくらか怒りのようなものが含まれていて、曜子は膝のナプキンの端を広げたり畳んだりした。

「徹也には悪いと思ってるわ」

そしてうつむき加減に呟いた。

「でも、仕方なかったの。徹也の気持ちはすごく嬉しかった。本当よ。でも駄目だった、好きでもそれ以上にはなれなかったの。そういうの、まゆみにもわかるでしょう」

「それはわからないでもないけど」

「これがいちばんよかったのよ」

「確かに、曜子と徹也は友達でいる期間が長過ぎたのかもしれない」

メインディッシュは終わり、デザートに移った。運ばれて来たエスプレッソをまゆみは口にした。

「まあ、他に好きな人がいるっていうんじゃどうしようもないものね」

「それも聞いたの？」

「ごめん、徹也から無理遣《や》り聞き出しちゃったの。言っておくけど、徹也がぺらぺら喋ったわけじゃないから、それは誤解しないで」

「わかってる」

「それで、徹也を振ってまで選んだ彼って、どんな人？」

曜子はシュガーポットに手を伸ばし、小さなかけらを選んでカップの中に落とした。

「造形作家。私には理解できないものとか、たくさん作ってる」

「そう、それで曜子は幸せなのね？」

「え？」

「その人と恋をして、幸せなんでしょう？」

その言葉は思いがけず曜子の心を射抜いていた。幸せと言えば幸せだろう。この世でいちばん愛しい人とベッドで抱き合うことができるのだ。けれどそれと引き替えるものが重すぎる。呑み込む想《おも》いが多すぎる。やっとのことでバランスをとっている曜子には、まゆみの質問がとても酷に聞こえた。

曜子の無言を、まゆみは認めたと受け取ったようだった。

「そう、それならいいの。曜子が幸せなら、もう徹也も諦めるしかないものね。そこのところ、確かめておきたかったの」

そして、まゆみは言った。

「ねえ、もう一軒付き合ってくれないかな。話したいこともまだあるし。今夜はもうちょっと飲みたい気分なんだ」

まゆみがそんな言い方をするのはめずらしい。曜子はもちろん付き合うつもりでいた。

まゆみは化粧直しに席を立って行った。曜子は椅子にもたれ、ぼんやりとした。何も考えない。そういう気の紛らわし方を曜子は最近覚えるようになっていた。考えれば、必ず久住に繋がる。そしてそれは大抵、考えなければよかったという後悔に辿り着くことになる。

店の中はほぼ満席の状態だった。やはりカップルが多い。インテリアも凝っていて、いかにも女性たちに好まれそうだ。入った時には気がつかなかったが、奥の方には個室もあるようだ。ドアがふたつ並んでいる。その間にはオブジェがひとつ配してある。

そのオブジェに目が止まり、曜子は思わず椅子から腰を浮かした。

まゆみが洗面所から戻ってきた。

「お待たせ、じゃあ行きましょうか」

曜子は答えず、そのオブジェへと近付いて行った。

「曜子、どうしたの？」

まゆみの呼び掛けに返事もせず、曜子はオブジェの前に立った。それは人魚だった。久住が作ったあの人魚なのだ。天に向かって差し伸べた両手、反った背中、太腿《ふともも》の傷。まぎれもない曜子の人魚だ。

「どうしてここに……」

背後からまゆみが近付いて来た。

「どうかしたの。あら、素敵なオブジェね。人魚よね、これ」

曜子は混乱していた。これは確かにあの人魚だけれど、どうしてこれがここにあるのかわからない。

まゆみが怪訝な顔つきで曜子を見つめている。

「どうしたの、このオブジェ、何かあるの」

曜子は人魚から目をそらさぬまま言った。

「まゆみ、ごめんなさい、今日は帰らせて。話は今度ゆっくり聞くから。だからごめんなさい……」

曜子の様子にまゆみもさすがに何かを感じとったようだった。

「ううん、いいのよ、私の話なんて大したことじゃないんだから、いつだって」

「じゃあ、私」

そう言って、曜子はレストランを飛び出した。


久住の家に来ていた。

混乱はまだ収まってはいなかった。久住のアトリエにあるはずの人魚が、どうしてあのレストランにあるのだ。

玄関に入ると、声を掛けることもせず、曜子はアトリエの襖《ふすま》を開けた。

振り向く久住。その向こうに女の姿が見える。長い髪を夜会巻きにしている。耳のモデルとすぐに察しがついた。ほっそりとしたうなじとふくよかな耳が印象的だった。

突然現われた曜子に、久住はさほど驚きはしていないようだ。

「どうしたんだ？」

と、いつもの穏やかな口調で尋ねた。

曜子はアトリエを見回した。けれどそこに人魚はない。

「ないわ……」

女が気味悪そうに曜子の動きを目で追っている。

「久住さん、人魚、どこにやったの？」

久住は作業台の椅子を回して、曜子を見つめた。

「ああ、あれは五日ほど前、画商が来て持って行った。レストランだったかに飾ると言っていたけれど、それがどうかしたのか？」

「そんなこと、私にひと言も言ってくれなかったじゃない」

久住は困惑の表情を浮かべた。

「いったいどうしたんだ、作品は完成したら画商に任す、いつも僕はそうしている」

「あの人魚はあなただけのものじゃない、私のものでもあるのよ。それを黙って、勝手にどこかにやってしまうなんて、信じられない、あなたっていったいどういう人なの」

「少し落ち着いてくれないか。君があの人魚に愛着を持っているのはわかる。けれども君のものというわけじゃない。僕は今までの作品と同じように画商に渡しただけだ。それを君に非難されるいわれはないはずだ」

久住の声に不快なものが混じっていた。曜子は立ち竦《すく》んだまま、ほとんど叫びに近い声を上げた。

「そんなことどうでもいいの、とにかく返してもらって来て、あの人魚、今すぐに返してもらって来て」

「呆れたな……」

久住の顔が曇ってゆく。そんな彼の表情が、曜子にはひどく冷酷に見えた。

「きっと私も人魚と同じなのね、気に入ってる間は手元に置いて、飽きたらさっさとどこかにやってしまうの。その後のことなんて考えもしないの。どこでどうなろうが知らん顔、思い出すことさえないの」

「何を言ってるんだ、いったい」

そして、久住は椅子から立ち上がった。

「送ろう。今夜はとにかく家に帰った方がいい。人魚の件はもう少し冷静になってから話そう」

久住は夜会巻きの女を振り返った。

「申し訳ないが、今夜はこれで終わりにするよ」

女は頷き、帰り支度を始めた。それを曜子が止めた。

「どうぞ、あなたはそこにいてください。久住さんも送ってくれなくていいから」

「でも……」

「いいの」

曜子は首を振った。きっぱりと横に振った。

「私、やっと気がついたの。私ったら馬鹿みたい。あなたのことが好きで、好きって気持ちに目が眩んで、本当はとっても苦しいのに、幸福だって自分に必死に言いきかせて。あなたは結局、自分しか愛せない人なのよ。そうでしょう、あなたは誰かのために何かをするってことに価値を見いだしたことがある？　恋は向き合ってするものでしょう。背中ばかり見せて、気紛れにちょっと振り向いて、それでいて自分のすべてを受け入れることだけを条件にして、相手の気持ちなんか思いやる気もないの。あなたはいったい私の何を理解してくれたの。私の孤独を知っているの？　自分を愛させても、自分は少しも愛を与えない。こんなの恋じゃない。女を都合よく扱っているだけ。もうたくさん。もういらない、あなたなんか、いらない。二度と会わない」

そして、曜子はアトリエを飛び出した。

久住は後を追って来ない。そんなことはわかっているのに、振り返る自分がみじめだった。

街灯が暗い夜道を所々照らしだしている。自分がどこを歩いているのかもよくわからなかった。アパートに帰りたくない。ひとりで部屋の真ん中に座り、失ったもののことを考える時間を持ちたくなかった。久住と出会って、知ったのは理不尽な孤独だけだった。愛しているのに、ひとり。会いたいのに、ひとり。アトリエに久住がいることがわかっているのに、曜子はいつもひとりだった。

曜子は電話ボックスに入り、受話器を取り上げた。ひとりでいたくなかった。いつか、指が覚えている番号を押していた。

――もしもし。

懐かしい声が耳に伝わって来る。けれど、曜子は言葉が出ない。何か言おうとすると、それはすべて泣き声になってしまいそうだった。

――もしもし、もしもし？

「徹也……」

――ああ、曜子か。

曜子の頬に涙が落ちてゆく。

――曜子？　どうかしたのか。

「徹也、救けて……」

徹也の慌てたような声が聞こえて来る。

――どうしたんだ、何があったんだ。

「私、もうダメなの……」

――ダメって、どういうことだ。

「このまま消えてなくなりたい」

――いったい何があったんだ、話してみろよ。

「息をするのも苦しいの、もうダメなの」

――ちょっと待て、今どこにいる。アパートから掛けてるのか。

「どこだか、よくわからない」

――何言ってるんだ。落ち着いてよく考えてみろ。回りに何か目印になるものはないのか。そうだ、電柱に番地が書いてあるだろう。それ、読んでみろ。

曜子は機械的にそれを口にした。

わかった、すぐ行くから。そこを動くなよ。絶対、動くなよ。

電話が切れる音がして、曜子はその場にうずくまった。

三十分もたたないうちに、徹也は姿を現わした。暗い道の向こうに徹也の姿を見た時、曜子は身体から力が抜けるのを感じた。抜いても構わない、徹也は必ず支えてくれる、そんな安らかさを実感していた。

「曜子、遅くなってごめん」

肩で息をしている徹也。その言葉が心にしみる。返す言葉も見つからぬまま、目の前に立つ徹也の胸の中に、曜子は身体も心も、緩やかに倒して行った。

4　そのドアの向こう側

曜子は日曜日のデパートのバイトを辞めた。

徹也がそれを望んだからだ。一週間のうち一日ぐらい朝から晩まで一緒にいたいと、徹也は言った。辞めれば生活は少し苦しくなるが、そんなことは大した問題ではなかった。あの夜の徹也の好意に曜子は少しでも応《こた》えたかった。

徹也とこんな形で付き合うようになるとは、考えてもみなかった。けれど、暗闇《くらやみ》の向こうに徹也の姿を見つけた時、曜子は自分の求めているものが何であるのか、はっきりとわかったような気がした。私のために駆け付けてくれる。私を無条件で受け入れてくれる。私を愛してくれる。曜子はそういったことに飢えていた。

あれから一ヵ月、徹也は毎日のように電話をくれた。ウィークデイでも会うために時間を作ってくれた。珍しいイベントや、新しくできたお店にも連れて行ってくれた。冗談を言ってたくさん笑わせてくれた。

徹也といると、愛されることの心地よさを存分に味わうことができる。身体《からだ》も心もからからに乾いていた曜子には、それはまるで恵みの雨のようにしっとりと身体の隅々にまで広がっていった。曜子は、自分が久住を愛することにどれほど疲れていたかを痛感する。注ぐだけの愛なんて人を干涸《ひから》びさせてゆくだけだ。

今日、ふたりで新宿で映画を観て、夕方、マーケットで一緒に買物をした。初めて徹也の部屋で夕食を作る。カートを押しながら、野菜ひとつを選ぶにも言葉を交わすことの安らぎを知る。振り向くと、そこには必ず徹也がいる。私を愛してくれる徹也がいる。

夕食はすき焼きにした。料理と呼べるほどのものではないけれど、作ることに時間をかけるより、食べる方を楽しみたかった。

鍋《なべ》が湯気をたてて煮え始めた頃《ころ》、電話が鳴りだした。徹也が受話器を上げる。

「もしもし……ああ、元気だよ。うん、今ちょっとな、ひとりじゃないんだ……誰って言われても、困ったな」

曜子がお鍋に野菜を入れていると、目の前に受話器が差し出された。

「えっ、私？」

「曜子の口から説明してくれよ」

よく意味がわからないまま、曜子は受話器を受け取った。

「もしもし」

一瞬、沈黙があって、すぐに聞き慣れた声が返って来た。

——曜子なの？

「えっ、まゆみ」

——どうして曜子がそこにいるの？

「それは、えっと、その……」

——ねえ、あなたたち、いったいどうなってるわけ？

まゆみは驚きというより、少しばかり怒っているような感じだった。曜子は返事に困り、徹也を振り返った。徹也は肩をすくめている。

「あのね、実はね」

——何なの、いつの間にそういう展開になっちゃったわけ？　私、そんなこと全然聞いてないわよ。

「ごめんね、まゆみにはいろいろ心配かけたし、ちゃんと報告しなきゃと思ってたんだけど、つい言いそびれて」

——つまりふたりは付き合い始めたってこと？

「うん、まあ、そういうことなの」

——ふうん、じゃあ前に言ってた造形作家の人とは別れたんだ。

「ええ」

——そう。まあ、ふたりが丸く納まったんだから、めでたしってことよね。徹也の一途《いちず》な思いの勝利ってわけなんだから、私も喜んであげなきゃね。

「ごめん、今度、ゆっくり話をするから。待って、今、徹也と代わるわ」

それを、まゆみはあっさりと断った。

——ううん、いい。別に話すこともないから、適当によろしく言っておいて。じゃお邪魔さま。

「ええ、じゃあ」

受話器を戻すと、徹也がビールのプルリングを開けた。

「まゆみ、何て？」

「ちょっと怒ってた。当然よね、やっぱり先にちゃんと報告しておくべきだったわ」

「大丈夫さ、まゆみはそんなこと気にする奴《やつ》じゃないよ。彼女、俺が曜子に振られた時、いろいろ励ましてくれたんだ」

「まゆみが？」

「ああ、大学の時から面倒見のいい奴だよ、あいつは」

その時、ふっと意識をかすめるある予感のようなものがあった。

もしかしたら、もしかしたらまゆみは。

けれども、曜子は慌てて首を振った。

私ったら何を馬鹿なことを考えているのだろう。

それは違う、気の回し過ぎだ。まゆみは今まで一度だってそんな素振りを見せたことはない。思い過ごしに決まっている。

「何だよ、黙りこんじゃってさ」

曜子は慌てて首を振った。

「ううん、何でも。ね、今度まゆみと三人でご飯でも食べましょうよ。せめてもの感謝のしるしに。私、腕を振るうわ」

「うん、そうだな。おっと、食おうぜ、煮詰まっちまう」

徹也が早速箸《はし》を伸ばした。

すき焼きをつつきながら、ふたりでこうしていることが、曜子にはとても不思議だった。まるで大学の合宿の続きのような気もするし、家族のようにずっと前から一緒にいたような気もする。どちらにしてもあまり現実感がなく、まだ足に馴染《なじ》まないパンプスを履いているような感じを受ける。けれど、それは決して居心地が悪いというのではなく、むしろ安心し、寛《くつろ》ぎ過ぎている自分の変わりように、曜子自身がついてゆけないのだった。

後片付けを終えて、しばらくビデオを観た。最近、徹也は西部劇に凝っている。ジョン・ウェインが駅馬車に乗って活躍する姿は確かに迫力があった。

それを観終えると十時を過ぎていた。曜子はバッグを引き寄せた。

「じゃあ、私」

「帰るのか」

「うん」

「もう一本、借りてるんだ。『荒野の決闘』ってやつなんだけど、すごくいいんだ。これも観てゆけば」

「でも、電車がなくなるから」

「だったら、泊まってゆけばいいだろう」

曜子が振り向くと、徹也は見当違いの方向を見つめている。

その時まで、曜子は徹也とベッドに入るということに実感がなかった。友達の延長から始まった恋は、ほとんど性的な匂《にお》いを含んでなくて、徹也にもやはりそんな気持ちがあるのだということに気づくと、少し驚いた。けれども、このままでは友達の枠から出られない。どんなに親しくても、恋と呼ぶには何か足りない。そしてそれは確かに、裸で抱き合うことなのだった。

徹也は落ち着きをなくしている。顔はテレビに向けたままだが、少しも観ていない。そんな徹也が愛しくなる。曜子を欲しがっている。

「主演は誰？」

「ヘンリー・フォンダだよ」

「観てゆこうかな」

「いいのか？」

徹也がためらいがちに曜子を振り向く。

「最高の映画なんでしょう」

「もちろん」

徹也の力のこもった答えが返って来た。


徹也の緊張が身体に伝わって来る。曜子の下着を脱がす指は細かく震えていた。曜子は徹也の背に腕を回し、彼が脱がせやすいように身体を動かした。自分がとても落ち着いているのを感じた。まるでずっと年上になったようだった。

徹也はひとつひとつを確認するように、曜子の身体に触れてゆく。どこを触られても、曜子は拒否しない。徹也には曜子の身体のすべてに触れる権利がある。そして同時に、曜子もまた徹也のすべてに触れられる。

ふたりの身体が繋《つな》がった時、曜子は徹也を見つめた。徹也は懸命だった。自分を喜ばせようとしてくれている、それがたまらなく愛しかった。曜子はゆっくり目を閉じると、徹也の髪の中に指を滑り込ませ、感覚の中に身を委《ゆだ》ねた。

その翌朝、徹也はためらいながら、机の引き出しを開けた。

「これ、今度は受け取ってもらえるかな」

それはあの指輪の包みだった。曜子はひどく切ない思いにかられた。あの時の自分の仕打ちを思い出し、どう謝っていいかわからない。

「いいの？　貰《もら》って」

「当たり前だろう」

徹也は少し照れながら、ケースの中から指輪を取り出した。そして、まるで神聖な儀式のように、曜子の左手の薬指にそれをはめた。胸が熱くなる。何か言おうと思っても言葉が出ない。その代わりに、曜子は徹也に抱きついた。


たぶん、幸福というのはこういうものなのだろう。

夜、決まった時間に電話が入る。こちらから掛けて留守電に吹き込んでおくと、遅くなっても必ず連絡が入る。鍵《かぎ》を渡され、自由に部屋に出入りできる。ふたりで夕食を作る。ふたりで食べる。身の回りに手出しができる。今、何をしているとか、誰と会っているなどという不安にかられない。愛されているということを、ただ深く息を吸い込むように感じていればいい。

春は過ぎて、街は初夏に入ろうとしていた。街路樹は緑を濃く茂らせ、ショウウィンドウには半袖《はんそで》が並んだ。

「近いうち、両親に会ってくれないかな」

ベッドの中で、徹也が言った。ベランダのガラス戸は細く開けてあり、レースのカーテンが揺れている。

曜子は徹也の胸に埋めていた顔を上げた。

「どうしたの、急に」

「急じゃないさ。俺は最初からそのつもりで曜子と付き合ってるよ。曜子はそうじゃないのか？」

「ううん、もちろん私だって」

「だろう。じゃあこっちだけじゃなくて、曜子の方にも挨拶《あいさつ》に行かなくちゃな。そういうことはやっぱりちゃんとしておきたいから。いつがいいだろう、曜子の方は二、三日まとまった休みってとれるかい？」

曜子はいくらか狼狽《うろた》えている自分を感じた。

「それ、もう少し待ってくれる？」

「どうして？」

徹也が上半身をもたげる。

「もう少し、このままじゃいけないかな」

「いけなくはないけど、何か都合悪いのか？」

「ううん、そういうわけじゃないの。ただ、私は兄が死んで一人っ子になってしまったでしょう。父は仙台に帰って来ることを望んでるの。母も最近身体の調子がよくないみたいだし、急にそんな話をしたら、きっと面食らってしまうわ。妙にこじれて、うまく行くものも行かなくなるってこと、あると思うの。徹也のことは少しずつ話してゆくから。そうすれば、父にも覚悟ってものができるだろうし」

「そうか、そうだな。急に俺が現われたんじゃ、曜子の両親もびっくりするよな」

「ごめんね、勝手なこと言って」

「気にすんなよ、結婚するならやっぱりみんなに祝福されたいからな。慎重に進めよう」

「シャワー、浴びて来るね」

曜子はベッドを抜け出て、バスルームに向かった。

頭から湯を浴びながら、曜子は自分の言葉に空々しいものを感じていた。確かに父のことは本当だし、将来は両親の面倒も見なければならないという思いもある。けれど徹也に待ったをかけたのは、本当にそれだけの理由だろうか。結婚という決定的な現実を前にして、躊躇《ちゅうちょ》する気持ちがなかったとは言えない。

徹也のことは好きだ。とても幸福も感じている。けれどこの状態を結婚という器の中に入れようとすると、気持ちが納まり切らないような、いや、足りなさ過ぎるような、ひどく落ち着かない気持ちになってしまうのだ。

うまく自分にも説明がつかない。曜子は少し苛々《いらいら》してしまう。自分を非難するように、熱い湯を浴び続けた。

日曜日、夏物の買物をするために、曜子は新宿に出た。

古着も悪くはないのだが、夏物なら値段も手頃だし新しいものも買える。徹也とよく外出するようになって、曜子も大分お洒落《しゃれ》に気を配るようになっていた。新宿は安くて面白いものがたくさんあるから、見ているだけでも楽しい。

夕方には徹也のアパートに行くことになっていた。徹也は取引先の接待でゴルフに出掛けている。七時頃には帰って来るというから、それまでに夕食の準備をしておくつもりだった。

デパートのエスカレーターを上がってゆく途中、掲示板に目が行った。何げなく見たはずなのに、目が離せなくなっていた。

『新進作家　オブジェ展』七階特設会場

と、書かれたそのポスターは、すでに曜子をしっかりと捕らえていた。曜子はもう一階エスカレーターで上った。ポスターには作家の名前が連なっている。そこには久住陸の名前もあった。

気持ちがざわざわと動き始める。無視を決めた。今さらどうってことはない。久住がどんな作品を作ろうとも、曜子にはもう関係のないことだ。

ファッションフロアで下りて、洋服をゆっくり見て回った。いくつか気に入った服があり、それを鏡の前で当ててみたり、試着してみたりした。何か買わなくては気が済まない気分になり、少し高かったが、白いワンピースを買った。ようやく満足して、帰ろうと下りのエスカレーターに向かった。

けれども、頭からポスターのことが離れなかった。下りのエスカレーターの前で躊躇していると、後ろからおばさんにせっつかれた。

「乗るんなら、早く乗ってよ」

「あ、すみません、どうぞ」

曜子は順を譲り、結局そのことがきっかけとなって、上りのエスカレーターへと向かっていた。

「見るだけよ」

口の中で呟《つぶや》いた。そう、見るだけだ。それくらいどうってことはない。久住は人の中に出るのが嫌いだから会場にいるとは思えない。もし会ったとしても、堂々と挨拶をすればいいだけのことだ。動揺なんかしない。久住とのことはもう何もかも終わり、自分はもう徹也と新しい恋を始めている。

七階の特設会場にはほどほどの人がいた。受け付けには記帳せず、曜子はそのまま入った。

中にはさまざまなオブジェが、効果的な照明を受けて配置されている。それらはどれも前衛的で、たとえば割れたグラスをうずたかく積み上げてあるとか、曜子には理解しがたいものばかりだ。いくつかの作品の前を通り過ぎた時、曜子は小さく驚きの声を上げた。青い海を感じさせる照明、敷き詰められた白い砂、その中に人魚がいる。

「どうして……」

どうして人魚がここにあるのだ。あのレストランに売られたはずじゃなかったのか。混乱した気持ちのまま、それでも目は人魚に引き寄せられている。その時、不意に背後で声がした。

「買い戻したのよ、陸ちゃん」

その声に振り向くと、レイコが立っていた。

「こんにちは、久しぶりね」

カールした髪をルーズに結んで、派手なプリント柄のワンピースを来たレイコは、くしゃりと鼻にシワを寄せた。

「レイコさん……」

「元気にしてた?」

「ええ、まあ。ね、今言ったの、本当? 久住さんが買い戻したって」

「本当よ、直接陸ちゃんから聞いたんだもの間違いないわ。おかげで、画商に渡した時よりずっと高い値段がかかったらしいわよ」

「どうして、そんなこと」

「あんたに未練があったと言って欲しい?」

「まさか」

「この展覧会に出品するのに、ふさわしいものがなかったんじゃないのかな。ほら、耳を作ってたでしょう、あれ、あんまりうまくいかなかったみたい」

「そう……」

「ま、本当のところは私もわかんないけどね」

曜子は人魚を見つめている。曜子の身体から魂が抜け出て、人魚の中に吸い込まれてゆく。初めて久住と出会った時、初めて裸の身体を晒《さら》した時、初めて久住と抱き合った時、記憶が鮮やかに過去を辿《たど》り始める。

「ねえ、ちょっとお茶しない？」

レイコに言われて、曜子は我に返った。

「ええ、いいわ」

ふたりは会場を出て、ティルームに向かった。

午後のティルームは、のんびりとした雰囲気に満ちていた。買物帰りの主婦らしき女性がゆったりとアフタヌーンティを楽しんでいる。グループ連れがいないというのが有り難い。レイコは案内する係員を無視して、窓際の景色のよい席にさっさと座った。

「私はアメリカンね、あんたは？」

「ミルクティをください」

オーダーを終えると、レイコは煙草《たばこ》に火をつけた。煙りが流れて、近くの女性が眉《まゆ》をしかめる。どうやら嫌煙家のようだ。もちろんレイコは気づかない。というより、無視している。

「陸ちゃんと別れたんだってね」

「……………」

「やっぱり、陸ちゃんのこと受け入れてあげられなかったんだ」

レイコのいきなりの言葉に、曜子はどぎまぎしてしまう。

「仕方なかったのよ」

「どうして」

「受け入れるだけの関係なんて、私にはやっぱり無理よ。愛したら、愛されたいと思う、それは当然でしょう。その当然のことが、あの人にはできないの。私、愛するだけで満足できるほど、強い人間じゃないもの。結局、あの人は自分しか愛せない人なのよ」

レイコはマスカラをたっぷり塗った睫毛《まつげ》をゆっくりと上下させた。

「そんなことないよ、陸ちゃん、本当はとっても愛情の深い男だよ。ただ、そこまで辿り着ける女っていうのがいないんだと思うの。それは逆に言ったら、そこに辿り着けるまで陸ちゃんを愛し続ける女がいないってことなのよね」

「それはあまりに勝手な言い分過ぎるわ。まるで女の愛を試しているみたい」

「あんた、陸ちゃんのこと何にもわかってない。陸ちゃん、好きなことをして、お金にも困らない放蕩《ほうとう》息子って思ってるでしょう？」

「だって、その通りでしょう」

「好きでそうなったわけじゃないよ。陸ちゃんにもいろいろ事情ってものがあるんだから」

「事情？」

飲み物が運ばれて来た。ジノリのカップを使っている。手触りのよいそのカップを、曜子はゆっくりと口に運んだ。

「陸ちゃんが愛人の子だったってことは知ってるわよね」

「お姉さんと母親が違うってことは聞いたことがあるけど……」

「前の奥さんが生きてた頃は愛人だったのよ。死んじゃったから後妻に入ったの。陸ちゃんがまだ小学生の頃だったらしいわ。それまでは、今いるあの家に住んでたんだけど、父親の家でお姉さんと四人で暮らすようになったの。あ、これは陸ちゃんから聞いたんじゃなくて、ほら、おでん屋のオヤジさん、あそこで強引に聞き出しちゃったことなんだけどさ」

レイコは煙草を揉《も》み消し、すぐに二本目に火をつけた。コーヒーと煙草を交互に口に運びながら、自分の言おうとしていることを整理しているようだった。

「最初はそれなりにうまく行ってたらしいわ。私、お姉さんって人には会ったことないけど、根っからのお嬢さんだから素直な性格らしくて、まあ義理の母親には反発心はあったかもしれないけど、陸ちゃんとはうまくいったみたい。問題が起こったのは、後継者のことが取り沙汰《ざた》されるようになってからよ。母親としては、どうしても陸ちゃんに跡を継がせたかったらしいの。でも、死んじゃった前の奥さんの親族が重役として会社にいて、その反発がひどかったらしいの。父親もどうするか迷ったみたいで、かなり揉めたんだってさ。それでうまくいっていた家族もバラバラになっちゃって、陸ちゃんはもううんざりしたのよ」

そこでレイコはひとつ息をついだ。

「もともと陸ちゃんは会社を継ぐことに興味はなかったし、ものを作ることが好きだったから、両親の反対を押し切って美大に進んだってわけよ。それと同時に家を出て、前に暮らしていた今の家にひとりで住み始めたわけ。その上、広澤の籍から出て、お母さんの実家の籍に入ったのよ。姓もそっちの名乗ってさ。こうなったらさすがにお母さんも陸ちゃんを跡継ぎにするのは諦《あきら》めたらしいわ。結局、お姉さんが会社の有望株と結婚して、そのムコ養子が将来社長に納まるってことで決着はついたみたい」

「そう……」

「陸ちゃんはちゃらんぽらんに生きてるわけじゃないのよ。そういう生き方が誰も傷つけずに済むことを知ってたのよ。あんたも少しは陸ちゃんの苦しみもわかってあげてよ」

曜子は目を伏せ、唇を噛《か》んだ。

「そんなこと言われても……私には無理よ。そんなに言うんだったらレイコさんがそうしてあげればいいじゃない。久住さんのこと、そこまで理解してあげてるんだから」

「そのつもりだったんだけどさ」

そう言って、レイコは二本目の煙草も灰皿に押しつけた。

「気がつくのが手遅れになっちゃって」

「手遅れ？」

「私、妊娠してんの」

「えっ」

曜子は思わず顔を上げた。

「もしかして、久住さんの？」

「だったらよかったんだけど、これが他の男なのよね」

「…………」

曜子は次の句が出ない。

「でさ、そいつが絶対に産んでくれって言うのよ。これが結構いい奴なんだ。私、陸ちゃんのこと世界でいちばん好きよ。こんなに惚《ほ》れた男はいないわ。でも、やっぱり子供も産みたいの。陸ちゃんと子供ふたつともっていうのは欲張りでしょう。だからすごく迷ったけど、陸ちゃんは諦めることにしたの。子供はやっぱり両親が揃《そろ》ってるのが何よりだもんね。私、捨て子でさ、両親がいないのよ」

最後の言葉に胸が衝《つ》かれた。

「それで、そのこと久住さんには言ったの？」

「うん、言った」

「おめでとうだって、よく言うわよね。私、馬鹿って、思わず頭をひっぱたいちゃった」

レイコはあっけらかんとした口振りで言った。けれどもその選択に辿り着くまでどれほど迷っただろう。なのに決めたら、決して後ろは振り向かない。曜子はレイコの潔さを見たような気がした。

また、レイコが煙草を手にした。

「いいの？　吸っても」

「ふかしてるだけだから」

「そう」

「だからね、あんたに陸ちゃんのことはよろしくって頼もうと思ってたんだ」

曜子はゆっくり首を振る。

「私にはできない。それにもう、付き合ってる人もいるし」

「ふうん、そっか」

「だから、そういうこと、誰か他の人に言って」

レイコはカップについた口紅を指で拭《ぬぐ》った。

「あんた、その彼氏のこと、陸ちゃん以上に愛してるの？」

曜子は窓から外を眺めた。太陽が傾いて、ビルの窓に反射している。眩《まぶ》しくて目を細め
「そしたら何て？」

た。

「その人、私のこと、とても大切にしてくれるの。一緒にいると、愛されてるって実感できるの」

「そんなこと聞いてるんじゃない、あんたが愛してるかってことよ」

曜子はもう空になったティカップを見つめた。

「ええ、もちろん愛してるわ」

「そう、それならしょうがないね」

レイコは再び煙草に火をつけた。


その夜、曜子は料理を失敗した。

食卓に出したカレーは、肉は炒《いた》め過ぎて硬くなっていたし、ジャガ芋《いも》は煮込みが足りなくて芯《しん》が残っていた。その上、サラダのブロッコリーは茹《ゆ》で過ぎてびしょびしょだった。

ひと口食べて、曜子はスプーンを置いた。

「ごめんなさい、こんなひどいもの作っちゃって」

「いいさ、どうってことない。食べりゃ結構うまいって」

徹也は文句も言わず口に運んでいる。どころか、笑顔さえ浮かべている。不意に、たまらなさを感じた。

「いいの、お世辞なんか言わなくても」

曜子は徹也の前から皿を奪い取った。そのままキッチンに行き、三角コーナーに捨ててしまう。流し台に手をつくと、泣きそうになった。本当はまずいのに、おいしいと無理して食べる徹也。その優しさに腹が立っていた。遠慮なく言ってくれたらいいのだ。

「どうしたんだよ」

徹也が驚いてそばにやって来た。

「何も捨てることはないのに」

「こんなの、料理じゃない。こんなの、徹也に食べさせられない」

「俺は、曜子の作ってくれるもんなら何でもおいしいよ」

「そういうの、嫌なの。まずいものはまずいって言って欲しいの。これがおいしいだなんて、徹也の舌、どうかしてるんじゃないの」

「ところが違うんだよな。このジャガ芋を曜子が切ったのかと思うと、それだけで俺には最高の料理になるんだ」

曜子は振り向き、徹也を見た。徹也は少し悲しそうな目で曜子を見下ろしている。それを見たとたん曜子に後悔が広がった。

「ごめんなさい、私ったらひどいこと言っちゃって」

「気にすんなって。カレーまだあるんだろう。俺、食べるからさ」

曜子は新しいお皿を用意して、もう一度カレーをよそった。

徹也の優しさに対して、一瞬たりとも、腹を立てた自分に怒りがあった。

動揺しているのだった。思いがけず人魚を見つけ、レイコと出会ったことで、忘れていた時間が急に身近に迫って来ていた。久住を知って、ただ愛することだけにすべてを費やしたあの日々。それは決して長い時間ではなかったが、強烈な思い出だった。

だからといって、気持ちが揺らいでいるわけではない。徹也との毎日は曜子を安定させてくれる。徹也といると、自分の欲しかったものがはっきりとわかるのだ。愛されるということ。そして徹也はそれをふんだんに与えてくれる。曜子にとって、徹也はもうなくてはならない存在だった。


スクールで、真之がだんだんと明るさを欠いてゆくのが気になっていた。

やはり両親のことだろうか。さかんに声を掛けるのだが、以前のように活気のある返事はない。久住と曜子のことも、真之なりに何か感じ取っているようで、どことなく避けているようにも思われた。

送り迎えの広澤夫人と顔を合わせても、軽く会釈を交わす程度になっていた。広澤夫人はまた痩《や》せて、頬《ほお》には濃い影が落ちていた。気になっていても、立ち入ることはできない。いや、立ち入ってはいけない。スイミングスクールのインストラクターは、学校の先生じゃない。これはあくまでビジネスなのだ。

ところがそれからしばらくして、帰りぎわに真之の方から話し掛けて来た。

「先生」

ビート板を片付けていた曜子は振り向き、真之だと知ると嬉《うれ》しくなった。

「なあに？」

「ちょっと聞いてもいい？」

「もちろん」

「あのさ、お店に並んでるもの、お金を払わないで持って来ちゃうの、何て言うの？」

意外なことを聞かれて、少し面食らった。

「万引きっていうの。それはすごく悪いことよ」

「お巡りさんに捕まっちゃうんだよね」

「そうよ、そういうこと誰かしてるの？」

「……うん」

「誰？」

「友達」

「じゃあ、真之くんが止めてあげなきゃね。もし誘われたとしても、真之くんは絶対しちゃ駄目よ」

「わかった」

真之は真剣な顔つきで大きく頷《うなず》いた。

「じゃあ先生、さよなら」

そして背を向けて、ロッカールームに走って行った。


レッスンの合間の休憩時間、曜子はプールで思い切り泳ぐ。

子供たちを教えるのは楽しいが、フラストレーションもたまってしまう。時には、ぐったりして水から上がれなくなってしまうほど泳いでみたくなる。

二十五メートルの距離をクロールで息継ぎをしないまま泳ぎ切る。ターンの瞬間、顔を出す。肺にしみるように空気が入って来る。それを何度も繰り返す。タイムを競っていた頃に較《くら》べたらずいぶん泳ぎ方が変わったと思う。競泳での成績はフォームの美しさと関係ない。インストラクターになって、フォームを第一に教え始めた時から、タイムのことは考えないようになっていた。

水面から顔を半分上げた拍子に、プールサイドでマネージャーが手を振っているのが目に入った。どうやら曜子を呼んでいるようだ。曜子は底に足をついた。

「成井さん、電話よ」

「はい」

ゴーグルを額に上げて、水から上がる。タオルで雫《しずく》を拭《ふ》き取りながら、マネージャーからコードレスホンを受け取った。

「もしもし」

――曜子、俺。

「あら徹也」

――急なんだけど、今夜、俺のアパートに来てくれないかな。

徹也の声は少し慌てている。

「いいけど、何かあるの？」

――それがさ、上司が曜子に会わせろってうるさいんだよ。

「どうして、徹也の上司が？」

――ちょっと曜子の話したんだ。結婚を考えている子がいるって。そうしたら、ぜひ会いたいって言い出したんだよ。俺も困ってさ、いつか機会があったら、なんて言ったんだけど、せっかちな人で、今日がいいって言うんだ。仕事が終わって、ちょっと飲んでから帰るから、そうだな、九時頃にいてくれると助かるんだけど。

曜子は自分の気持ちが曇るのを感じた。

「……私、そういうの、困る」

——うん、そうだよな、突然だもんな。それはわかるんだけど、頼むよ。世話になってる上司なんだ。

そう言われると、無下に断るわけにもいかなくなる。

「そう……わかったわ、九時ね」

——助かった。じゃ、頼むよ。

電話を切って、曜子はひとつ息を吐き出した。まだ結婚が決まったわけでもないのに上司に会わされるなんて、と思う。気が進まない。やっぱり断ればよかった。そして曜子は、そう思った自分にハッとした。

徹也の身近な人に紹介されるということは、それだけ曜子を真剣に考えてくれている証拠だ。普通だったら喜んでいいことだ。なのに気が進まないだなんて。こういう時こそ、徹也のためにも愛らしい恋人をきちんと演じなければ。

その日、曜子はいったん自分の部屋に戻って用意を整えてから、できるだけ早く徹也のアパートに向かった。掃除をし、部屋を綺麗《きれい》に片付けた。外で飲んで来ると言っていたけれど、ここでも飲むことになるかもしれない。そのためにウィスキーと氷を準備した。軽く何かつまめるよう、カナッペもお皿に盛り付けた。少しお化粧もした。服も女らしいものを選んで来た。ついでに可愛らしい花柄のエプロンも。

九時を少し回った頃に、徹也と上司がやって来た。上司の方はもう大分お酒が入っているらしく、顔がかなり赤い。少しもたつく足取りで部屋に上がると、テーブルの前に腰を落ち着かせた。

「いやぁ、どうも。こんなに遅くにお邪魔しちゃって」

「いいえ」

曜子は愛想のいい笑顔で応える。徹也が少々緊張気味に、曜子の隣りに座った。

「紹介します、この人が成井曜子さんです。こちらは僕の上司の岩瀬課長」

「はじめまして、成井曜子です」

曜子は礼儀正しく頭を下げた。上司は曜子と徹也の顔を見比べ、上機嫌で頷いた。

「うん、なかなか似合いじゃないか。それで式はいつだ？」

徹也が慌てて首を振る。

「いえ、まだそんな具体的な話は決まってないんです」

「でも、いずれは結婚するつもりなんだろう。決めたのなら、早くしちまったらいい。独身を長く続ける奴に大物はいない、というのが俺の持論だ。俺も学生結婚だったんだ」

「まあ、僕としてもなるべく早くとは思ってるんですけど……」

徹也が振り返る。曜子の反応を窺《うかが》っているようにも見える。居づらくなって、曜子は腰を浮かせた。

「ウィスキーがあるんですけど、よろしかったらいかがですか？」

「気が利くなぁ。もちろん、頂きますよ」

「じゃあ、すぐ用意します」

曜子はキッチンに入り、グラスやアイスペールをトレーにのせた。

「いい彼女じゃないか、うまくやれよ」

上司が言っているのが聞こえる。けれども、曜子は少しも嬉しくなかった。逆に、気が滅入《めい》ってゆくのだった。長居になるのだろうか。早く帰ってくれたらいいのに。けれど徹也の上司だ、失礼があってはいけない。曜子の態度で徹也への心証が悪くなったら困る。

キッチンを出る時、曜子の顔にはちゃんと笑顔が戻っていた。

上司は話好きらしくて、徹也と曜子を前にして、ひとり悦に入りながらお喋《しゃべ》りを続けている。そのひとつひとつに、徹也はうまく調子を合わせている。徹也がサラリーマンの顔をしていた。意外な気がした。学生の延長で付き合って来たせいか、徹也はサラリーマンであることを実感していなかった。徹也にはこんな顔もあったのだ。

「仲人は俺がやってやろう。困ったことがあったら、何でも相談に来いよ」

「はい、ありがとうございます」

徹也が頭を下げる。曜子もそれにならう。けれど内心はもううんざりしていた。徹也にとっては上司かもしれない。でも、自分には関係のない人だ。そんな人にふたりのことを決め付けられてしまう。そしてそういう人の前でも、結局はいい顔をしてしまう自分にも腹が立っていた。

上司が帰って行ったのはもう十二時近かった。キッチンで後片付けをしていると、表通りまで送って行った徹也が戻って来た。

「悪かったな、今日は」

「ううん」

「岩瀬さんってオヤジっぽいところもあるけど、基本的にはいい人なんだ」

「わかってるわ」

「何か手伝おうか」

「もう、終わりだから」

曜子はグラスを食器棚に片付けた。自分が少しばかりつんけんしているのがわかっていた。

「じゃあ俺、風呂《ふろ》にお湯をはって来るよ」

徹也が気を遣っている。その気の遣い方がどこか卑屈にも感じられて、曜子は黙って後片付けを続けた。

ベッドの中で徹也の腕が伸びて来た時、曜子は背を向けて拒否の意思表示をした。徹也は伸ばした腕のやり場に困ったようだったが、すぐにそれを受け入れた。

「そっか、じゃあ、おやすみ」

やがて、徹也の寝息が聞こえて来た。曜子は暗闇を見つめていた。断れば、それ以上強引なことはしない。徹也は曜子の気持ちをいつも最優先してくれる。けれども今夜はそれに腹が立っていた。時には荒々しく求めてもいいのではないかと思う。理性よりも感情をぶつけて来る。そういったことを決してしない徹也に、物足りなさを感じる。だからといって、もし本当に徹也がそれをしたらどうだろう。曜子はきっと徹也を軽蔑《けいべつ》する。女を屈伏させるような形でのセックスは許せない。

では、いったい自分はどうして欲しいのだ。徹也がどういう態度を取れば納得できるのだ。それを問い掛けても曜子自身にもわからない。

暗闇に目が慣れて来ると、部屋の様子が見えて来た。テーブルの上の灰皿。ボードに飾ってある仲間たちとの写真。徹也自慢のオーディオ。壁のフックに掛けられているヘルメット。

私はどうしてここにいるのだろう。

ふっと、そんな気持ちが湧《わ》いた。徹也は好きだ。徹也の自分に対する気持ちも嬉しく思っている。けれど拭いきれない違和感がどこかに残っている。こうして徹也と一緒にベッドにいる自分を、まるで他人のように感じてしまう。ずっと友達でいた。その枠の中から飛び出すことを選んだのは曜子自身なのに、こうしていると何故《なぜ》それを選んだのだろうと、曖昧《あいまい》な気持ちになってしまう。

私の居場所は本当にここなのだろうか。

そんな疑問を投げ掛ける自分が怖かった。背中に徹也の体温を感じる。規則正しい寝息が聞こえる。明け方まで、曜子はなかなか寝付くことができなかった。


朝、徹也の声で目が覚めた。

「曜子、起きろよ、そろそろ時間だぞ」

明け方まで眠れなかった曜子は、頭の芯が重く、目を開けてもしばらく返事もできずにぼんやりしていた。

「朝飯作ったんだ、食うだろ」

テーブルの上には、トーストとオムレツが並んでいる。曜子はベッドから起き上がって、洗面所に入った。顔を洗い、鏡に自分の顔を映してみる。ひどい顔をしていた。こんな顔を徹也の前に晒している。けれどそれを恥ずかしいと思う気持ちは小さかった。

部屋に戻ると、コーヒーがいれられていた。湯気が立ち昇るカップを手にして、曜子は口に含んだ。寝不足のせいか、あまり食欲はない。箸をつけようとしない曜子に、徹也は皿を前に押し出した。

「ほら、オムレツ」

「いらない」

「どうして？　食欲ないのか」

「………………」

「そうだ、確かヨーグルトがあったな、それなら食えるだろう」

けれど曜子の返事を無視して、徹也が冷蔵庫にそれを取りにゆく。

「いらない」

「ほら、ヨーグルト」

曜子は黙っている。徹也のそういう気遣いが妙に気持ちを逆撫《さかな》でする。

「何だよ、これも食わないのか。食べなきゃ駄目だって。今からバイトだろ」

「いらないって言ってるでしょ」

その言葉の中に、ひどく険が含まれていて、曜子は自分で驚いていた。徹也が困ったように曜子を見つめている。傷つけた、と思った。

「ごめんなさい」

曜子は膝《ひざ》に視線を落とした。

「いいさ、食べたくないならしょうがないもんな」

徹也は軽く肩をすくめて、再び朝食を食べ始めた。徹也は怒らない。あんな言い方をしたのに非難めいた表情も見せない。まるで無抵抗の子供に暴力をふるってしまったような、たまらない気持ちになった。

「徹也」

「ん？」

「どうしてそんなに優しいの？」

徹也はオムレツを口に運ぶ箸を止めて、顔を向けた。そして、何故そんなわかりきったことを聞くのだ、というような不思議な顔つきをした。

「決まってるだろう、曜子に惚れてるからさ」

その言葉を聞いたとたん、曜子は涙ぐみそうになった。自分を最低だと思った。

「何だよ、どうしたんだよ」

泣き出しそうな曜子に、徹也はおろおろしている。

「どこか具合でも悪いのか」

「ううん」

曜子は悲しかった。自分が情けなかった。こんなにもストレートで無防備な愛情を受けながら、徹也を撥《は》ねつけるような言動をとってしまう自分。いったいいつの間にこんな傲《ごう》慢《まん》さを身につけてしまったのだろう。

「ごめん、私、食べるから」

曜子は箸を手にした。

それから数日が過ぎた。

曜子はいつものようにデパートのバイトに出ていた。そろそろ夏のボーナスも近付いて来て、デパートは今からが勝負時だ。フロア主任もリキが入っている。

バイトは何でもやらされる。曜子は朝から納入されて来た食器の梱包《こんぽう》を解く仕事を任されて、ちょっとうんざりだった。百箱近くもある。その一部を売場に並べ、残りを倉庫の棚に整理し、いつでも取り出せるようにしておかなければならない。

ようやく仕事が終わる頃、同じバイトの女の子が顔を出した。

「ねえ、お昼一緒に食べにゆかない？」

もうそんな時間だった。ちっとも気がつかなかった。

「うん、行くわ」

最後の食器を棚にのせて、曜子は倉庫を出た。

「ねえ、知ってる？　さっきうちのフロアで万引き犯が捕まったこと」

肩を並べると、彼女は少し興奮気味に言った。

「へえ、そうなの」

「今ね、主任が事務所の方に連れて行ってるの」

「何を万引きしたの？」

「クリスタルの小さな置物らしいわ。大した値段もしないのに、何であんなもの万引きするのかしら。だいたい捕まった犯人っていうの、とても万引きをするようには見えないの。美人だし、服装もいいし、いかにもいいとこの奥様って感じでさ。人ってわからないものねえ」

事務所の隣りには休憩室がある。バイトたちも、そこで個人のロッカーを貰っている。バイトも正社員も時間中に出掛ける時は、透明のナイロンバッグに財布やハンカチを入れてゆかなければならない。商品を持ち出しているというような誤解を防ぐための会社の方針、というのは名目で、持ち出すことを警戒しているのである。曜子はロッカーを開けて、自分のデイパックからそれに移し替えた。

「ねえ、ちょっとちょっと」

彼女は続き部屋になっている事務所のドアを細く開けて、曜子を手招きした。

「万引き犯、見てみなさいよ。絶対にびっくりするような人なんだから」

「いいわよ、私は」

「そう言わずに、ちょっとだけ」

彼女に言われて、曜子はドアに近付いた。申し訳ないような気分になりながらも、中を窺った。興味がないわけじゃなかった。

主任の困り果てた表情。犯人の方は顔を伏せていて、ここからではよく見えない。けれども上等なニットのスーツや膝の上にのせている高価なケリーバッグを見る限り、彼女が言うように、とても万引きをするような女性には見えなかった。

主任が何か声を掛けた。するとその女性が少しだけ顔を上げ、指で髪を背中に流した。その瞬間、曜子は思わず声を上げそうになった。

広澤夫人だった。

見間違いではないかと、目を凝らした。けれどもどう見ても、そこにいるのは広澤夫人なのだ。

曜子はドアから離れた。気持ちはすっかり動転していた。何故広澤夫人が？　その疑問が頭の中をぐるぐる回っている。休憩室を出て、彼女と連れ立ってエスカレーターに向かったものの、途中で足は止まってしまった。

「どうしたの？」

彼女が振り向く。

「ごめん、お昼ひとりで行って」

「えっ」

「ちょっと用事を思い出しちゃったの。じゃ」

そして曜子は事務所へと走った。

事務所の前に立って躊躇した。自分が顔を出していいものだろうか。けれど最悪の場合、警察沙汰にならないとも限らない。そうなってからでは遅い。散々迷った後、曜子はひとつ深呼吸をしてドアをノックした。

「はい」

主任の不機嫌な声が返って来る。曜子は半分だけドアを開けた。広澤夫人の背中が見えた。

「何の用だ」

「すみません、ちょっとよろしいですか」

「後にしてくれないか」

「急用なんです」

しぶしぶ主任が席を立って、事務所から出て来た。

「今、取り込み中なんだ」

「主任、実はあの人、私の知ってる人なんです」

「何だって」

「バイトの私がこんな出すぎたことをしてはいけないのかもしれません。でもあの人のこと、許してあげて頂けませんか」

「どういう関係の人だ。まさか身内じゃないだろうな」

「いえ、あの、友達のお姉さんなんです」

主任はため息をついた。

「まあ商品も大したものじゃないし、僕としても大事《おおごと》にはしたくないんだけど、ひと言も口をきかないし謝りもしないのは、ちょっとどうかと思うな。反省してないんじゃないか」

「お願いします。あの人、普段はそんなことないんです。きっと動転して口もきけないんだと思います。もう二度とこんなことがないよう、私からよく言っておきますから。だから、どうかお願いします」

「しかしなぁ」

「お願いします」

曜子は膝につくほど深く頭を下げた。主任はかなり渋っていたが、曜子の熱心さに負けるような形で仕方なく頷いた。

「まあ、そこまで言うなら君に免じて、今回は見逃すことにしよう。商品は戻ったのだから、弁償はしなくていい。ちゃんとした家の奥さんのようだけど、このことはきちっと家族の人に伝えた方がいいぞ。今度こんなことがあったら、警察に通報することになるかもしれないからね」

「わかりました」

「じゃ、後は任せるから」

「ありがとうございます」

主任は売場に戻って行った。曜子が事務所に入ると、広澤夫人がぼんやりと窓から外を眺めていた。

「広澤さん、帰りましょう」

広澤夫人はゆっくりと振り向き、そこにいるのが曜子と知ると、驚きが顔に広がった。けれど言葉は出ない。何故曜子がここにいるのか、そのことを問う気力も持ち合わせていないようだった。一階におりてタクシーに乗る。奥沢《おくさわ》、と運転手に告げると、広澤夫人は激しく首を振った。

「家には帰りたくないの」

「でも……」

「どこでもいい、ただあの家にだけは帰りたくないの」

仕方なく、曜子は自分のアパートの所在を告げた。タクシーの中で、広澤夫人は放心していた。いつも穏やかな笑みを浮かべ、幸福がそのまま形になったような佇《たたず》まいは、どこにも見られなかった。尋ねてみたいことはたくさんある。けれど今は何も言えない。

アパートには十分足らずで到着した。曜子は広澤夫人の肩を抱くように、部屋に入った。

「狭い所ですけど、どうぞ座ってください。今、お茶をいれますから」

「お酒を……」

「え？」

「お酒を頂けるかしら」

「お酒ですか」

食器棚の中に、紅茶に落とすために買った安いブランデーのミニボトルがある。曜子はそれを取り出し、グラスに注いだ。

「どうぞ」

広澤夫人が口に運ぶ。白く細い喉《のど》がゆっくりと上下し、琥珀《こはく》色の液体が消えて行く。

広澤夫人が何も話したくないのなら、無理に聞き出すつもりはなかった。自分のしたことは、広澤夫人がいちばんよくわかっているはずだ。

時間だけが静かに流れてゆく。広澤夫人はうつむき加減のまま少しも姿勢を変えない。そろそろ三時になろうとしていた。スイミングスクールの時間だ。

曜子は休むつもりでいた。このまま広澤夫人を放っておけるわけがない。ひとりにすれば何をするかわからない。そんな不安が感じられた。電話に出たマネージャーはあまりいい返事をしなかったが、今まで一度も休んだことのない曜子だからと、大目に見てくれた。

それからも膠着《こうちゃく》したようにふたりは部屋の中に座っていた。もう夕方になる。曜子は別のことが気になり始めた。

「あの、真之くん、もう学校から帰ってる時間でしょう。お母さんが帰らないと心配するんじゃないですか」

その言葉に、広澤夫人の表情が歪《ゆが》んでゆく。やはり真之のことが気にかかっているのだろう。それでも広澤夫人は立とうとはしない。

「じゃあ、とりあえず真之くんに電話しますね」

声を掛けても相変わらず無言のままだ。曜子は受話器を手にした。けれど誰も出ない。真之が帰っていない時間ではないはずだ。何かあったのだろうか。不安が重なってゆく。広澤夫人をここに残して、家に様子を見に行って来ようか。けれど、ひとりにするのはやはり心配だった。誰かに頼もうと思っても、そんな人はいない。どうしよう。

その時、ひとりだけ思い浮かんだ。久住だ。

けれども、久住に連絡を取ることに躊躇があった。あれからずっと会ってない。声すら聞いてない。きっともう二度と顔を合わすことはないと考えていた。どんな形にせよ、できるだけ久住と接触を持ちたくなかった。けれど、今は曜子の個人的な感情を優先させている時ではなかった。曜子は再び受話器を取り上げた。

——もしもし。

懐かしい声。耳元で聞く久住の声は、曜子の身体の奥に細かい波を立たせる。

「曜子です」

久住の戸惑いが受話器を通して伝わって来る。

──ああ。

「すみません、電話なんかして」

──いいんだ。どうした、何かあったのか。

自然と呼吸が深くなる。とても緊張している自分を感じた。曜子は奥歯を嚙みしめ、落ち着きを取り戻した。

「実は今、広澤さんが私の部屋にいるんです。ちょっと帰れそうにないので、真之くんの様子を見てきてくれませんか」

久住はよく意味がわからない、といったふうに尋ねた。

──姉が君の部屋に？

「はい」

──どうして。

「それは、あの……」

──ちょっと姉と替わってくれないか。

曜子は広澤夫人を振り向いた。相変わらず焦点の定まらない目で空を見つめている。とても電話に出られるとは思えなかった。

「すみません、広澤さん、今は出られないんです」

――どういうことなんだ。身体の具合でも悪いのか？

「いいえ、そうじゃなくて。あの、広澤さんのことは大丈夫ですから、とにかく真之くんのこと、よろしくお願いします」

曜子は言うだけ言って、電話を切った。これ以上会話を続けたら、辻褄《つじつま》の合わないことを言ってしまいそうだった。

どれぐらいの時間がたったろう。太陽は西に姿を消していた。部屋の明かりをつけると、瞬く間にガラス窓の向こうは暗闇に変わった。広澤夫人は相変わらず、石のように動かない。曜子は空腹を感じた。こんな時に、おなかが空いてしまう自分が非常識のような気がしたが、お昼を食べそこねている。曜子は立ち上がり、広澤夫人に声を掛けた。

「何か食べませんか？」

当然ながら、返事は返って来ない。曜子は冷蔵庫を開け、中を覗《のぞ》いた。ベーコンといくつかの野菜を取り出し、それを細かく刻んでゆく。昨夜の残りご飯でチャーハンを作るつもりになっていた。それは十五分ぐらいでできあがり、ふたつのお皿に盛って、ひとつの方を広澤夫人の前に置いた。

「こんなのしか作れないんですけど、よかったら食べてみてくれませんか？」

反応はない。仕方なく、曜子はひとりで食べ始めた。

「ひとり暮らしをするようになって、最初に覚えたのがチャーハンなんです。最初の頃はびしょびしょになったりしてうまくいかなかったんですけど、最近ちょっとは上手になったかな、なんて。でも今ひとつ、味付けがビシッと決まらないんですよね。足りないのは何なのかしら」

するとふっと広澤夫人が顔を向けた。それからスプーンを手にし、ひと口頬張った。曜子はそれを奇跡でも起こったように眺めていた。

「ガーリックを足すといいわ。パウダーでも大丈夫、それをきかせると、きっともっとおいしくなるわ」

曜子はひどく嬉しくなって、笑顔で頷いた。

「はい、今度からそうします」

広澤夫人がようやく曜子と目を合わせた。

「今、何時かしら」

「七時を少し回ったところです」

「真之は……」

「大丈夫です。久住さんにお願いしましたから」

「そう。ごめんなさいね、あなたには大変な迷惑をかけてしまって」

「いいえ、気にしないでください」

「私ね」

「はい」

そして広澤夫人はゆっくりとした口調で、ひとつひとつ言葉を選びながら、話し始めた。

「私、いつかは見つかるだろうと思ってたの。見つかることはすごく怖かったけれど、早く見つけて欲しいという気持ちもあったの。本当よ。だから今日、デパートの人に肩を叩《たた》かれた時、何だかホッとしたわ」

広澤夫人の固く閉ざされた気持ちは、ようやく和らいだようだった。

「でもまさか、あなたがあそこで働いてるなんて」

「スイミングスクールと掛け持ちしてるんです」

「そう」

「広澤さん、どうしてあんなことを？」

「…………」

「すみません、余計なことを聞いてしまって」

「ブランデー、もう少しいただいてもよろしいかしら」

「ええ、どうぞ」

テーブルの隅に置いてあるミニボトルから、広澤夫人はグラスに注いだ。それを少しだけ口に含むと、頬にうっすらと赤みがさした。

「主人とうまくいってなくてね」

グラスを手で暖め、まるでため息と聞こえるかのような声で、広澤夫人は言った。

「こんな話、聞きたくないかもしれないけど」

「いいえ、私でよかったら」

広澤夫人は頷くと、口元に静かな笑みを浮かべた。

「主人には愛人がいるの。自宅には週に二度、帰ってくればいい方。後はずっとあっちの家にいるわ。もう子供もいるのよ。五歳になる女の子。知ったのは二年ぐらい前かしら。ショックだったわ、すごいショックだった」

広澤夫人は淡々と語り始めた。

「母と同じね。私の母も父の愛人のことで苦しんでいたわ。でも、違うところはみんな自分の内に納めていたこと。私は子供だったせいもあるけど、あの頃、母の苦しみなんて少しも感じられなかった。私は母のようにはなれなかったわ。主人に仕返しするように、私も浮気をしたの。テニスコーチとか美容院の男の子とか、ホストクラブにも通ったことがあるわ。でも少しも満たされなかった。むしろ逆、もっと渇いた気持ちになるの。私は私を紛らわせてくれる何かをずっと探してたのよ」

そして言葉を中断し、広澤夫人は頬にふと手を当てた。

「そんな時、万引きの現場を見たの。私と同じくらいの女性が、本屋で文庫本をバッグの中に入れたの。その時私、すごく興奮したわ。どんな男も与えてくれなかった興奮だったわ。それからよ、手が伸びるようになったのは。自分がした時、もっと興奮したわ。最初はボールペンだったわ。それから手当たり次第。欲しいものなんて何もなかった。全部捨ててしまうの。でも、やめられなかった。いつか捕まる、その恐怖に怯《おび》えながらも、誘惑に勝てなかったの」

曜子は自分も飲みたい気持ちになっていた。立ってグラスを用意し、ブランデーを注いだ。

「でも、本当は誰かに止めて欲しかったのでしょう？」

「ええ、そう。早く見つけてくれればいいのにっていつも思ってた」

「もう見つかりました」

「そうね」

「だからもう、そんなことしないでください。しないと約束してください。広澤さんのためだけじゃなく、真之くんのためにも」

「…………」

「真之くん、感付いているかもしれないんです」

「え？」

「真之くん、私に聞いて来たことがあるんです。お金を払わないでお店に並んでるものを持って来ちゃうのは何て言うのかって」

「まさか」

広澤夫人の頬に怯えが走る。

「誰がそんなことするのって聞いたら、友達だって言ってましたけど。まだ間に合います。今なら元に戻れます。真之くんは今、少しだけ母親の行動に不審を抱いているんです。それが深く真之くんを傷つけることになる前に、以前の母親に返ってあげてください」

その時、チャイムが鳴った。曜子は立って玄関に近付いた。ドアを開けると、久住が立っていた。

「姉を迎えに来た」

顔を合わせた瞬間、切なさが胸を駆け巡る。曜子は目をそらした。

「それで真之くんは」

「大丈夫だ。友達の所に遊びに行っていただけだ」

「そうですか、よかった」

「姉は？」

「中に」

「いったい何があったんだ」

曜子は首を振る。何も言うつもりはなかった。久住もそれ以上は聞き出すことはなく、部屋の中の広澤夫人に呼び掛けた。

「姉さん、帰ろう。真之が待ってる」

それでもしばらく、広澤夫人は動こうとはしなかった。久住の声に厳しいものが含まれた。

「真之の母親は姉さんひとりしかいないんだ。他の誰も代わりをすることはできないんだよ」

広澤夫人はようやく立ち上がった。弱々しい足取りで玄関に向かって来る。久住がしっかりとその身体を抱きとめた。

「世話をかけたね。今度、きちんと礼に来るから」

「いえ、そんなことはいいんです」

「じゃあ」

久住と広澤夫人が出てゆく。そのふたつの後ろ姿を曜子はずっと見送っていた。

何もする気が起こらなかった。

テーブルの上には、食べかけのチャーハンとグラスがそのままのっている。身体はとても疲れているのに、神経は昂《たか》ぶっていた。

曜子には広澤夫人の気持ちがいくらか理解できるような気がした。自分は結婚もしていないし子供もいない。けれども夫婦として向き合う基本は男と女だ。男の愛を得ることを諦めた時、女はさまざまな方法で自分を救おうとする。それが広澤夫人にとっては万引きだった。その選択は間違ったものであったかもしれないが、曜子は広澤夫人を非難する気にはなれなかった。自分自身と重ねてしまう。久住の愛を諦めた時の、自分自身の選択と。

その時、電話がコールし始めた。曜子は緩慢な動作で受話器を手にした。

「はい、成井です」

——ああ、俺。

それはほとんど定期便と呼んでいいような、徹也からの電話だった。

——今、何してた？

「何にも」

——俺はまだ会社。いやになっちゃうよ。仕事トラブってさ、見積書を書き直してるんだ。その取引先の課長っていうのがまた、やな奴でさぁ。散々人をアゴでこき使うの。文句言ってやりたいんだけど、お得意さんだから、そうもいかなくてさ。

徹也の話を、曜子はまるで遠くに鳴っているラジオのように、漠然とした気持ちで聞いていた。

——曜子？　聞いてるのか。

「ええ、聞いてるわ」

——何か元気がないみたいだけど、どうかしたのか。

「ううん、別に」

と答えてから、曜子は言い直した。

「ちょっと、頭が痛いの」

今夜は徹也と長話をする気になれなかった。

——風邪か？　ひどいようなら、俺、帰りに薬を届けてやろうか。

「ううん、いいの。寝たら治るから。だから、ごめん、切るね、電話」

——そうだな、わかった。じゃあまた明日に電話するよ。

「徹也」

——うん。

「別にいいのよ、そんなしょっちゅう電話くれなくたって」

徹也は一瞬沈黙した。

何故そんなことを言ってしまったのか、曜子は自分の不用意な発言に慌てていた。

「あ、別に深い意味で言ったんじゃないの」

——迷惑なのか。

徹也の硬い声が返って来た。

「まさか。徹也だって忙しいんだから、電話するの、面倒じゃないかなって思っただけ」

――俺は別に面倒なんて思ってないよ。つまり、曜子が面倒だって思ってるわけか？

「そうじゃないわ、そんなふうに取らないで」

徹也は答えなかった。

「ごめん、今言ったこと忘れて」

電話を切っても、後味の悪さが残っていた。

曜子は時々、自分がわからなくなる。徹也の優しさを全身に受けながら、時々、謂《いわ》れのない苛立たしさを感じてしまう。そしてつい冷たい言葉を吐いたり、突き放したような言い方をしてしまう。その後は、必ず後悔と自己嫌悪に包まれる。

それは今夜、久住に会ったからでは、決してない。徹也と付き合うようになってから、少しずつ少しずつ、曜子は自分が変わってゆくのを感じていた。徹也に対する態度が、なにかの拍子に、自分でも驚くような残酷さを含んでしまうのだ。

愛されることが嬉しかった。それは傷ついた曜子を柔らかい布で包み込むように癒してくれた。徹也がいたから救われた。徹也の真正面からの愛情があったからこそ、曜子は何もかもを忘れられた。それにはとても感謝している。

けれども、徹也の優しさを受けるたび、曜子は責められているような気持ちになってしまう。まるで身体に見えない糸を巻き付けられ、それは一本二本と数を増やし、曜子の動きを封じ込めようとする。決して徹也がそうしているのではない。ただ、曜子が感じているだけだ。ぐるぐるに巻かれて、もう決して逃れられない。何もかも徹也の中に取り込まれてしまう。それが時々ひどく息苦しく感じられてしまうのだ。

徹也と少し気まずくなったことが気になっていた。あの電話はやはり徹也を傷つけてしまったように思う。

翌日、曜子は自分から電話をした。けれども、徹也が話題を提供してくれないと、自分には少しも話すことがないのだった。やりとりの中に沈黙の時間が多くなると、曜子は懸命に埋めようとする。けれどそれは却《かえ》って白々しさを残すことになった。

「今度、まゆみを招待したいの。私の部屋で三人でご飯でも食べましょうよ」

それは咄嗟《とっさ》に口から出たことだった。けれど言ってみると、とてもいいアイデアのように思えた。まゆみには青山のレストラン以来会ってない。あの時はご馳走《ちそう》になってしまった。いつかお礼をしなくてはと考えていた。

——そうだな、まゆみのことは俺もちょっと気になってたんだ。

徹也も賛成した。彼もまた、曜子のことを怒っているというよりも、今までのままでいたいと望んでいるようだ。

「じゃあ、まゆみには私から連絡しておくわ。徹也、ワイン買って来てくれる？」

——ああ、いいよ。

これをいい機会にしたかった。徹也とはこれからも付き合ってゆく。結婚だって考えている。確かに、時々気持ちが転々と居場所を変えてしまうことがある。けれど、それは徹也のせいじゃない。徹也だけをじっと見つめていれば、気持ちは自然に定着してゆくに違いない。

すぐにまゆみに連絡を取ると、最初、彼女はあまり乗り気ではないような返事をした。

——別にいいわよ、ふたりで楽しくやれば。私なんかいても邪魔なだけでしょう。

「そう言わないでよ。たまにはいいじゃない。徹也も会いたいって言ってるし。まゆみには青山のレストランでご馳走になったままだったでしょう、ずっと気になってたの。今度の日曜日、都合悪い？」

——悪くはないけど……

「だったら、六時、待ってるから」

半ば強引に言って、曜子は電話を切った。

真之がスイミングスクールを欠席していることが気にかかっていた。

やはり何かあったのだろうか。あれほど追い詰められていた広澤夫人のことを考えると、何もないというわけはないだろう。

夫婦が壊れるのはある意味で仕方のない気もする。けれども真之がそれによってどれだけ傷つくか、それを考えると胸が痛くなった。


日曜日。

曜子は張り切って食事の準備をした。料理本のレシピと首っ引きで、ちらし寿司や茶碗《ちゃわん》蒸しに挑戦した。その他にも蛤《はまぐり》の潮汁《うしお》、海藻サラダ、鶏《とり》の竜田《たつた》揚《あ》げも用意してある。料理は面倒な分だけ愛情がこもる。そういった料理をわざわざ選んだのだ。

五時半を少し過ぎてチャイムが鳴った。出てみると、まゆみが立っている。

「早めに来ちゃった。いい？」

「もちろん。上がって」

「これ、フルーツケーキ」

まゆみは目の高さまで白い箱を持ち上げた。

「ありがとう」

テーブルの上にはラップをかけたちらし寿司が置いてある。まゆみは覗いて感嘆の声を上げた。

「すごい、これ、曜子が作ったの？」

「なかなかの出来でしょう。これだけじゃないのよ。他にもいろいろあるんだから」

「私、何か手伝うことある？」

「ううん、何にも。あとはお吸い物を温めるだけだから。今、お茶をいれるね」

曜子はキッチンに立って、ポットから急須にお湯を注いだ。今日は和食だから、お茶も煎茶《せんちゃ》を用意している。

「久しぶりね、こういうの」

まゆみが部屋から声を掛ける。

「ほんと、何だか学生の頃を思い出しちゃう。よくみんなで誰かのアパートに集まって、騒いだわよね」

「そうそう、こんな豪華なお料理はなかったけど。みんなお金持ってなかったものね。でも楽しかった」

あの頃の自分たち。まさかそれを懐かしがる自分が将来いるとは考えてもいなかった。

茶碗を持って、曜子はまゆみの向かい側に座った。

「ありがとう」

まゆみが手のひらで包み込むように茶碗を持ち、口に運ぶ。その姿がどことなく寂しげに見えた。

「ねえ、聞いてもいい？」

「なに？」

「まゆみ、恋人は？」

まゆみは上目遣いで曜子を見ると、肩をすくめた。

「実は今ね、会社の人から申し込まれてるの、結婚を前提に付き合ってくれないかって」

「ほんと、それで、どうするの？」

「ちょっと迷ってる」

「どうして」

「何となく、これでいいのかなって。その人のこと、好きだけど、一番じゃないの」

そう言って、まゆみは宙に瞳《ひとみ》を漂わせた。

「他に好きな人がいるの？」

「好きだった、と言った方がいいかな」

「過去形なのね」

「その人、私なんか眼中にないの。自分の恋人のことで一生懸命。だからもう諦めたわ」

「私の知ってる人？」

「ううん、知らない人。全然知らない人」

「やだ、曜子ったら気にしないで、もう終わったことだから」

「本当に終わったの？」

「もちろん。だから忘れて、もう」

「そう……」

　その時、チャイムが鳴った。

「あ、徹也だわ」

　曜子は立って、ドアに手を掛けた。

「いらっしゃい、もうまゆみも来てるのよ……」

　そして、言葉を飲み込んだ。そこには久住が立っていた。

「急に訪ねて悪いとは思ったんだけど」

　久住は落ち着いた口調で言った。

「いえ……」

　曜子は顔を伏せてしまう。驚いたばかりでなく、動揺していた。まともに久住の顔を見ると、それを悟られてしまいそうな気がした。

「姉のことでは、本当に迷惑をかけてしまったね。すべて聞いたよ。君には感謝しているんだ」

「広澤さん、もう落ち着かれましたか?」

背後のまゆみのことが気にかかりながらも、曜子は尋ねた。

「ああ、大丈夫だ。この件に関しては、僕にも責任のあることだと思ってる。何も知らなかったでは済まされないだろう。そのことではいろいろ考えさせられたし、反省もした。解決しなければならないことはまだたくさんあるけど、時間をかけてひとつひとつ向き合って行こうと思ってる」

「そう」

「姉は少し東京を離れることになった。鎌倉に両親の別宅があってね、そこでしばらく暮らすんだ」

「真之くんも一緒に?」

「ああ」

「じゃあ、スイミングスクールはやめてしまうんですね」

「そうなると思う」

それから久住は部屋の中に目をやった。ワンルームはすべてが見通しだ。まゆみと顔を合わせ、軽く会釈した。

「お客だったんだね。気がつかなかった。じゃあ僕は失礼するよ」

久住が背を向ける。ドアを閉めて遠ざかってゆく。それだけ? と問う自分がいる。それだけを言いに来たの？　それだけしか言ってくれないの？

「あの人、曜子が前に付き合ってた造形作家ね」

まゆみが背後で言った。

「ええ」

曜子は玄関に立ったままでいる。会うつもりはなかった。会いたいと望んだわけでもなかった。久住は決して私だけを愛してはくれない。そんな男だ。けれども、それだけでは自分を納得させられないものがあった。せめてひとつだけ聞きたい。あの人魚だ。どうしてあの人魚を買い戻したのかということ。

曜子はサンダルを突っ掛けた。その時、背後からまゆみの厳しい声が掛かった。

「行くの？」

曜子の足が止まる。

「どうして行くの、徹也、もう来るわ」

曜子は唇を嚙んだ。

「行くべきじゃないと思う」

まゆみはきっぱりと言った。曜子は小声で答えた。

「ちょっと聞き忘れたことがあるの、大したことじゃないから、すぐ戻るわ」

「大したことじゃないなら、なおさら行く必要なんかないじゃない」

めることはできなかった。


「ごめん、行かせて」

曜子はまゆみの言葉を振り切るように玄関を飛び出した。今は誰にも自分の気持ちを止

「行っちゃいけない」

「でも」


通りに出ると、久住が車に乗り込もうとしていた。

「久住さん、待って」

曜子が走り寄ると、久住は開けたドアを閉め直した。

「どうした」

「ひとつだけ、聞かせて欲しいの。あの人魚を、どうして買い戻したのか」

久住は困惑したように眉をひそめた。

「手放してから、その価値の重さを知ることもあるさ」

曜子はぐらぐらと身体が揺れるのを感じた。そんな言い方をされたら、勘違いしてしまいそうな自分がいる。もっと冷酷に、久住らしく突き放してくれたらいいのに。そうすれば、もう何も迷うことはないのに。

「久住さん、私」

その時、久住の目が曜子を素通りし、遠くを見やった。久住の視線を追うと、交差点に

徹也が立っていた。徹也はただ静かに、曜子を見つめている。

「知り合いかい？」

「ええ」

「そうか、君の恋人なんだね」

「…………」

「僕は君に何も与えてあげられない。でも、彼は違うだろう。彼は君のことを本気で考えてる。だから、あんな目で君を見つめているんだ。君は今、自分が手にしている幸福を決して放してはいけないよ」

「でも、私は……」

けれど、その後に続く言葉を曜子は用意していなかった。唇だけが震えた。

「彼がこっちに来る。誤解されてはいけないから、僕は行くよ」

久住は車に乗り込むと、もう決して曜子を見ようとはせず、アクセルを踏み込んだ。車が遠く走り去ってゆく。久住が消えてゆく。曜子は一歩足を前に進めた。もう一歩踏み出せば、もしかしたら駆け出してしまうかもしれない。そう思った時、徹也に肩を叩かれた。

「約束のワイン、買って来たよ」

徹也はいつもの笑顔で言った。曜子の様子を見れば何か感じないはずはないのに、徹也は何も問わない、何も責めない。だから曜子は、ただ徹也を見つめ返すしかない。

「行こう」

曜子は頷く。それは意思というより、習性かもしれない。幸福になるために、いつの間にか備わった習性。そしてそれは正しい。久住の言った通り、こうすることが幸福に繋がっている。

玄関にはまゆみが立っていた。まゆみはすべてを見ていたのかもしれない。けれどまゆみもまた、何も言わなかった。

その夜、三人はとても楽しく過ごした。三人とも自分の役割りをきちんと把握していて、そこからはみ出したり役を投げ出したりするようなことはなかった。冗談を言い笑い合う。思い出話をして懐かしむ。曜子は徹也の恋人としての曜子を、徹也は曜子の恋人としての徹也を、まゆみはふたりを見守る友達としてのまゆみを、完璧《かんぺき》に演じていた。

それは決して上滑りな会話ではなかった。三人とも真剣だった。気を抜けば、崩れ始めてしまう。それが怖かった。何が崩れるのか、そして崩れたらどうなるのか、誰もわからない。ただ与えられた使命のように、楽しい夜にしなければならないと必死だった。

それからしばらくして、真之がスクールをやめたことをマネージャーから知らされた。真之の代わりには同い年の女の子が入って来た。

髪が軽くカールした彼女は、愛されることをよく心得ていて、振る舞いも子供らしさに溢《あふ》れていた。曜子の言うことも聞き分けがよく、生徒としても扱いやすい。

いつもの生活、いつもの毎日が続いていた。

曜子はデパートとスイミングのバイトを続け、日曜日は徹也と会った。徹也の接待ゴルフがない限り、昼間は新宿や渋谷で遊んで、夕方には徹也のアパートに行く。食事は外で済ませることもあったし、曜子が作る時もある。そしてベッドに入る。

けれども、何かが起きる前の、ある種の予感のようなものを曜子は感じていた。それは漠然としながらも、まるで遠くからの呼び声に身体全体が耳をそばだてているような感覚だった。

だからまゆみから緊張した電話が掛かって来た時、驚くことはなかった。どこかで待っていたような気さえした。

——話があるの、会えない？

「私はいつでも」

——じゃあ今夜。

まゆみは渋谷の喫茶店を指定した。

渋谷は、きっとどこよりも早く季節が訪れる街だ。

初夏とはいえ、日が落ちればまだ十分に肌寒いのに、タンクトップ姿で歩くたくさんの若者たち。けれども日焼けした姿は太陽よりも、夜の明かりの方に似合っている。こんな時、自分がもうこの街にそぐわなくなったことを感じる。学生時代は東京と言えばこの街のことを指すのだと思っていた。曜子はもうすぐ二十四歳になる。

喫茶店に入ると、奥の席にまゆみが見えた。きちんと背筋を伸ばし、視線をうろつかせるようなこともない。その姿は彼女の潔い性格をよく現している。

曜子は近付き、向かい側に腰を下ろした。

「待った?」

「ううん、私も今来たとこ」

ウェイトレスにレモンティを頼み、曜子はまゆみと顔を合わせた。少し痩せたかもしれない。目元に憂いのような影がうっすらと落ちていた。

「この間はごちそうさま。ちらし寿司おいしかった。それから茶碗蒸しも」

「あの時は、何だかよくわからないけど、妙に張り切っちゃったの」

そして会話が途切れる。もう何年も知り合っている友人なのに、まるで初対面のような居心地の悪さがあった。レモンティが運ばれて来る。曜子がカップを口にする。スピーカーからはブラームスが流れている。人のざわめき。お喋り、笑い声。

「話って？」

尋ねると、短い沈黙の後、まゆみは言った。

「ねえ、ここ出ない。何だか人が多くて息が苦しいの」

「いいわ」

ふたりは喫茶店を出た。まゆみが先を歩いてゆく。彼女はガード下をくぐり、宮下公園に入った。まだカップルに占領されるには時間が早くて閑散としている。風が頬に心地よい。背後を山手線が走って行く。ベンチに腰を下ろすと、まゆみは少しくぐもった声で言った。

「聞いてもいい？」

「ええ」

「曜子、あの人のこと、まだ忘れてないんじゃないの？」

曜子は膝の上に置いた手をぎゅっと握りしめた。

「この間、そう感じたの」

「そうね……確かに、まだ完全に忘れたわけじゃないのかもしれない。でも忘れられるわ。忘れられると思ったから、徹也と付き合うことにしたんだもの」

「それ、違うんじゃない。そうじゃなくて、あの人を忘れるために徹也と付き合ったんじゃないの」

「そんなことないわ、私、徹也のこと好きよ」

「前に会った時、曜子はあの人のことを好きって言ったわよね。でも今言った好きは、それと全然違う言葉に聞こえてしまう」

曜子はゆっくりと目を閉じた。

「まゆみにそう思われても仕方ないかもしれない。確かに、そういうところなかったとは言えないもの。でも、私だって幸せになりたいの。あの人のこと、どんなに好きでも、あの人は決して私だけのものにはならない。ひとりの男を誰かと共有するような愛し方、私にはとてもできない。でも徹也ならきっと私を幸せにしてくれる。徹也と一緒だと私は安心して毎日を過ごせるの。それを望むのは私の身勝手？」

まゆみはかすかに頷いた。

「そうね、徹也ならきっと曜子を幸せにしてくれるわ。でも曜子はどうなの、それと同じくらい徹也を幸せにしてあげられるの？」

「え……」

「曜子を見てると、まるで自分だけが被害者みたい。あの人との間に何があったか詳しくは知らない。それで曜子がどんなに傷ついたかも、私はわかってないかもしれない。でも傷ついているのは曜子だけじゃないのよ。自分の傷を癒すために、徹也を利用しないで欲しいのよ」

そしてまゆみは、小さく息を吐き出し、次の言葉を続けた。

「ごめんなさい、私、こんなこと言うつもりはなかった。でも、徹也はもう気づいてるの。曜子がどんなにあの人に心を残しているか。そして傷ついてる。とても傷ついてる。それが私には耐えられないの」

曜子はまゆみに顔を向けた。その強く結ばれた唇を見た時、自分を責めずにはいられなかった。どうしてきちんと認めなかったのだろう。本当はもうとっくに気づいていた。ずっと友達だったまゆみなのに。自分の都合のよい解釈ばかりしていた。それはエゴでしかなかった。いつの間にか回りに対してこんなにも無神経になっていた自分が恥ずかしくてたまらなかった。

「まゆみ、早く言ってくれればよかったのに」

「え……」

「徹也が好きだって、もっと早く」

まゆみの白い頰に緊張が浮かぶ。けれども、まゆみはもうそれに抵抗する気はないようだった。

「徹也は曜子に夢中で、私なんか目にも入ってなかったもの」

「だからって。ううん、悪いのは私ね、本当は薄々感じていたの。なのに私、知らん顔してた。ごめんなさい」

った。

「やめて、謝ったりしないで」

「まゆみ」

「私にも、一応女のプライドってものがあるのよ」

そしてまゆみは身体から力を抜いた。

「私の言ったこと、余計なことかもしれない。嫉妬《しっと》で言ってると思わないで。なんて、そんなの綺麗ごとね、ないとは言えない。でもそれだけじゃない。それほど私、情けない女じゃないつもりよ。私、曜子に徹也と別れてって言ってるんじゃないの。徹也と付き合うなら本気になって欲しいの。心の中に残している人をきっぱり忘れて欲しいの。でないと、私も徹也を諦め切れない」

どこかでサイレンが鳴っている。それはひどく哀《かな》しい余韻を残して、いつまでも耳に残った。

まゆみとは公園で別れた。曜子はアパートに戻ると、着替えもせず部屋の真ん中に座り込んだ。まゆみから言われた言葉はすべて身体の中に残っていた。それらがあちこちにぶつかり木霊《こだま》していた。

何故、時々徹也に対して謂れのない苛立ちを感じるのか、冷たい言葉を吐いてしまうのか、その訳は簡単だった。自分だけが傷ついているという傲慢だったのだ。徹也もまゆみも傷ついていたのに、それをおくびにも出さずにいた。それから目をそむけていた曜子は、当然のようにふたりの愛情を受け、そして逆にふたりを傷つけていた。

まゆみにどう謝ればいいのだろう。そして徹也には、どういう自分でいることがその優しさに応えることになるのだろう。

久住を忘れる。本当にそれができるだろうか。忘れようとしている。それは確かなのに、突き詰めると、忘れるとは断言できないのだった。久住に対する思いはいつも切なさを背負っていて、この恋から下りてしまう理由なら数え切れないほど挙げられても、曜子の髪も爪《つめ》も皮膚も吐息さえも久住を求めているのだった。

そして曜子は気がつくのだ。自分の求めているもの。どうしても必要なもの。それはどんなに苦しく切ないものであっても、愛されることではなく、愛することなのだと。

その事実に曜子は狼狽《うろた》えてしまう。それを知ったからといって、いったいどうすればいい。どうすることが、正しい選択なのだ。

その時、電話が鳴り始めた。出る気力もなくて、しばらく放っておいた。もしかしたら徹也かもしれないと思ったが、今は誰とも話したくなかった。長いコールが続いて、電話は留守電に切り替わった。

——曜子、いないのか。

思いがけず父の声だ。それでも曜子は膝を抱え、丸まっていた。

——母さんが入院した。さっき家で倒れたんだ。今、病院にいる。検査をしている最中だ。

曜子は驚いて受話器を取り上げた。

「もしもし、父さん、私」

——いたのか。

「入院したってどういうこと？」

——父さんにもよくわからないんだ。胸が苦しいと言って倒れて救急車を呼んだ。前々からあまり具合はよくなかったんだが……もっと早く医者に行くようすすめていればよかった。

父は後悔に満ちた声で言った。動転した気持ちのまま、曜子は答えた。

「とにかく私、明日帰るわ。一番の新幹線で」

——ああ、そうしてくれ。

受話器を置いた曜子の指は震えていた。まだ何もしていない。母と娘であることを、まだ何も。十年前に閉じられたあの重いドアを閉めたままだというのに。

エピローグ

病院の白い壁が目に痛かった。

曜子は母が眠るベッドの枕元《まくらもと》に立った。薄く唇を開き、母は浅い呼吸を繰り返している。

「どうなの、母さん」

曜子は父を振り向いた。

「今は落ち着いているが、心臓に少し問題があるらしい。夕方には検査の結果と、今後のことも含めて説明があることになってるから、その時にはっきりするだろう」

父の声に疲れを感じた。

「父さん、寝てないんじゃない」

「隣りのベッドが空いてるから、ちょっと横になった。なあに、一晩くらい寝なくたってどうってことないさ」

「仕事は？」

「今日は休みをもらった。けれど明日からは出なくちゃならん。曜子はいつまでいられるんだ」

「一応、一週間の休みをもらったから」

「そうか、それは助かる」

仙台駅に着いた時、デパートとスイミングスクールには連絡を入れた。事情を説明し、一週間の休暇を申し出ると、デパートのフロア主任に「この忙しい時に」と皮肉を言われた。謝るしかなかった。スイミングスクールの方は事情をわかってくれたようだ。けれども休みが一週間を越えるようなことになればどうなるかわからない。帰ったら受け持ちがなくなっているということもあるかもしれない。けれど今はそんなことを考えてはいられない。

「父さん、私ここにいるから、家に帰って少し休んで。何かあったら連絡するわ」

「ああ、じゃあそうさせてもらおうか。検査結果の出る夕方にはまたこっちに来るから。その時、洗面道具とか着替えとかも持って来よう。何がいる？」

「ちょっと待って、今メモするから」

入院のために何を整えればいいか、曜子にもよくわからない。思いつくものを書き込んだ。地下には売店もあるから、足りなければそこで揃《そろ》えればいいだろう。

父を送って、曜子はベッド横の椅子《いす》に腰を下ろした。心電図装置の無機質な機械音が規則正しく響いている。

何もすることがなく、曜子はただ母の顔を見つめていた。ふと、額のほくろに気がついた。こんな所にほくろがあったのだろうか。生え際に幾本かの白髪。目尻《めじり》のしわ。顔がひと回り小さくなったように思う。母はいつの間にこんなに年を取ってしまったのだろう。

そして思った。母をこんなにも長く見つめたことがあっただろうか。兄が死んでから十年、曜子はいつも母から目をそらすことばかり考えていた。

浅く呼吸を繰り返しているせいか、母の唇は乾燥して皮がむけている。曜子はバッグの中からリップクリームを取り出し、その唇に塗った。母の呼吸が指先にかかる。温かさを感じて、不意に胸が熱くなった。

取り返しのつかないこと。大きな後悔が押し寄せて来る。この十年が曜子に与えたものはからっぽの時間だけだった。母から兄を奪ったという負い目を、むしろ言い訳のようにして、拒否して来たのは曜子の方だったのかもしれない。

母がかすかに頭を動かした。唇から声が漏れる。やがてうっすらと目を開けた。けれどもすぐには焦点が定まらないらしく、母は力なく瞬きを繰り返した。

「母さん」

呼ぶと、弱々しい声ではあるが、返事が返って来た。

「ああ、曜子……」

「何も心配いらないから、ゆっくり眠って。私、ずっとここにいるわ」

母はかすかに頷《うなず》き、再び目を閉じた。

何でもないことかもしれない。けれども曜子は、自分の言葉に頷いた時、母の唇にほんの少し浮かんだ安心の笑みを確かに見たのだった。ただそれだけのことなのに、曜子は思いがけない感動に包まれていた。ただそれだけのことが、どうしてもできない母と娘だった。

曜子は窓に近付き、ブラインドの隙間《すきま》から外を眺めた。眼下を広瀬川《ひろせがわ》が流れてゆく。川面に太陽が降り注ぎ、光の粒子が溢《あふ》れている。眩《まぶ》しさに曜子は思わず目を閉じた。けれども瞳《ひとみ》の奥に残るきらめきは、決して消えることはなかった。

夕方、医師から診断が下った。

「徐脈性不整脈ですね。これは倦怠《けんたい》感、ふらつき、失神などが症状として現われることがあります。成井さんの場合、初めての発作ですし、心筋梗塞《こうそく》や心不全など基礎心疾患に繋《つな》がる心配もないようなので、抗不整脈薬の投与でかなりの回復を見込めるでしょう。大丈夫です。ご心配いりません。こういう言い方は適当かどうかわかりませんが、それほど深刻に考える状況でないことは確かです。四、五日入院していただければ、後は日常生活に戻れます」

医師の言葉に、父も曜子もどれほど安堵《あんど》したかわからない。正直を言えば、ふたりとも母の身体《からだ》の中で起こっていることを想像するのも怖かった。もしかしたら、という不安をずっと払拭《ふっしょく》できずにいた。

病室に戻ると、母はもう目を覚ましていた。父が医師から受けた説明を母に伝える。母は小さく何度も頷いた。

「まあ骨休みのつもりで、ゆっくり休めばいいさ。考えてみれば、おまえが入院するのなんて、曜子を産んだ時以来だものな」

「丈夫なのだけが取り柄と思って来たけれど」

「私たちも、そろそろあちこちにガタが出始める年齢に入ったということだ。曜子がしばらくこっちにいてくれるそうだから、私のことは気にせず、おまえはゆっくり養生すればいい」

「ええ」

父が家から持ってきた母の着替えを整理しながら、曜子は振り向いた。

「父さん、私、父さんの面倒はみないからね」

「何だ、そりゃ」

父が目を丸くする。

「私、ここで寝泊りするから。隣りのベッドあいてるんだし、私の着替えとかは東京から持って来たのがあるし、ちょうどよかった」

「じゃあ何か、父さんは自分でご飯作って掃除も洗濯もしなきゃいけないのか」

「そういうこと」

「せっかく娘がいるのに」

「ほんの四、五日のことでしょう」

母が言葉を挟んだ。

「私ならいいのよ、曜子はお父さんを……」

「ここにいたいの」

曜子は言った。母と目が合う。真っすぐに見つめ返すにはまだ少し抵抗があって、思わず目線を足元に落としてしまう。そして、曜子は付け加えた。

「母さんと一緒にいたいのよ」

母は黙った。もし母が拒否したら、と考えた。穏やかな口調ながらも、きっぱりと帰るように言ったら。そうしたらやっぱりここにはいられない。母の答えが返って来るほんの少しの沈黙を、曜子は緊張しながら待った。

「そうね、そうしてもらおうかしら」

兄の死から十年。母は曜子を決して受け入れはしなかった。曜子が見てきたのはいつも母の後ろ姿だった。そしてまた、曜子も母に背を向け続けて来た。ぶつかり合うことも争うこともない静かな葛藤《かっとう》は、常にふたりに緊張を与えて来た。

その十年を埋めるには、数日とはいかないだろう。計り知れない苦しみが幾層にも重なり続けた年月だ。けれども堅く閉ざされたドアの隙間から、細くではあるけれど、はっきりと明かりが差し込むのを、曜子は確かに感じていた。そうだ、時間はたっぷりある。過ごした十年よりもっと多くの時間が、これからの母と曜子の前には続いている。

その夜、曜子は徹也に電話を入れた。

「今、仙台にいるの。ゆうべ、母が入院して」

徹也が驚いている。

――それで、どうなんだ、具合の方は。

「大したことないって。四、五日で退院できるって言われたから」

――そうか、よかったなあ。

徹也の安堵の声を聞いて、曜子は受話器を握り締めた。伝えなければならないことがある。自分の声が硬くなるのを感じた。

「徹也」

――うん。

「帰ったら、会って欲しいの。どうしても話したいことがあるの」

徹也は一瞬、言葉を途切らせた。ちりちりとした沈黙が、電話線を伝わって来る。

——そうか、わかった。待ってるよ。

それはとても穏やかな口調で、まるで何もかも心得ているようにさえ聞こえた。


母とはほとんど一日中一緒にいた。食事は病院の付き添い用を頼み、シャワーも病院のを利用した。曜子は母のために果物を切ったり、着替えを手伝ったり、髪を整えたりした。

「誠一がね」

昼食を食べ終えて、曜子が食器をワゴンに戻して病室に帰って来ると、母が不意に、兄の名前を口にした。十年間、その名を曜子に向かって言ったことは一度もない。曜子は思わず身体を硬くした。

「誠一がね、夢の中に出て来たの。ここに運ばれて来た夜よ。誠一ったら、母さんにこう言ったわ。帰れって。まだ来るなって。それもとても冷たい声で」

「…………」

「そして目を開けたら、曜子がいたの」

どう言葉を返せばいいのかわからない。そしてすぐに思った。返さなくてもいい。それを義務のように感じて、狼狽《うろた》える必要はもうないのだ。

「母さん、ジュース飲む？」

「そうね、もらおうかしら」

曜子はオレンジをナイフで半分に割り、絞り器に押しつけた。

一緒にいるからと言って、それほど言葉を交わすわけではない。黙っている時間の方がずっと多かった。けれども、ふたりには言葉よりもこんな時間が必要なのだった。何も語らなくていい、ただふたりだけでいるという時間が。


結局、五日で退院となった。

曜子は紙袋に母の着替えや洗面道具を詰め込んだ。母は窓から広瀬川を見下ろしている。空はよく晴れていて、流れる川の水の色さえ青に染めていた。

医師に挨拶《あいさつ》に行っていた父が病室に戻って来た。

「よかったよかった、これで元の生活に戻れるというわけだ」

たった五日だけれども、父は母の有り難さを痛感したようだった。

「ところで曜子、どうだ、これを機会に仙台に帰って来ないか。おまえだって、こんな母さんを残しておくのは心配だろう。家族三人、こっちで和気靄々《わきあいあい》と暮らそうじゃないか」

返事に困って黙っていると、母が振り向いた。

「お父さん、いいじゃありませんか。曜子が東京に居たいと言うなら居させてあげれば。私なら大丈夫、まだ娘に労《いた》わられる年齢じゃありません」

「しかしなあ、こういうことがまたあったりすると」

「お医者さんからは、無理をしないこととお薬をきちんと飲むことさえ守っていれば、怖いことなんか何もないって言われたんですから」

「うん、まあ、そうだけどなあ」

そして母は曜子に顔を向けた。

「いいのよ、曜子。私のことは気にしないで夕方の新幹線で東京に帰りなさい」

曜子はどこかで落胆していた。仙台に戻って欲しいと言われるのは困るが、もしかしたら母にそれを望まれるかもしれないとも思っていた。ふと、不安が横切ってゆく。この数日間は錯覚なのだろうか。病院という特殊な状況の中でのことであって、退院すればまた今までと変わらない関係が続いてゆくのだろうか。

「ただ」

母が言った。

「え？」

「ただ、もう少しちょくちょく帰って来てくれないかしら。お盆とお正月だけじゃなく、もっとたくさん」

曜子は奥歯を嚙《か》みしめた。さもなければ泣いてしまいそうだった。

「うん」

曜子は背を向けて、もう終えてしまった荷物の整理を続けた。やっと母と娘になれたのだと思った。どこにでもある、ありふれた、けれどもかけがえのない家族になれたのだと思った。


今、曜子は徹也と肩を並べて歩いている。

砧《きぬた》公園は世田谷美術館もある広く静かな場所だ。遊歩道の両側にはオブジェが飾られ、ギャラリーやレストランが並んでいる。西の彼方《かなた》には、大きな太陽がゆっくりと落ち、木々の間からオレンジ色の光が細い線となって降り注いでいた。

「よかったな、お母さん、大したことなくて」

「ありがとう。でも、父から電話をもらった時は本当にびっくりしたわ。両親っていつも元気でいるものって思ってたから」

「だろうな、俺にもそういうとこあるよ。だからこそ安心して親元を離れられてるんだよな」

夕食時が近付いて来たせいか、子供たちがふたりの横をすり抜けて、出口へと駆けてゆく。

「話、聞くよ」

徹也の方から切り出され、曜子は少し狼狽《ろうばい》した。ずっと考えて、心に決めてここに来たのに、こうして徹也と歩いていると、言葉がみんな身体の中へと押し込まれてしまう。

こんなにも自分を大切にしてくれた徹也を、傷つけなければならない自分を、たぶん一生許せないだろうと思った。

「私、徹也がいたから救われた。あの時、すごくつらくて、徹也がいなかったらどうなってたかわからない。そのこと、心から感謝してるの」

「別に、感謝なんかすることはないよ。俺はただ、自分がしたいことをしただけなんだから」

「徹也と過ごした時間、とても楽しかった。いろんなとこ行ったり、ふたりでご飯を作ったり。こういうのを恋をしてるんだなって思ったわ。なのに、私、どうしても忘れられなかったの」

「あの人だね。この間、曜子のアパートの前で会った」

「ええ」

「やっぱりな。ずっとそんな気がしてたよ。曜子は俺といてもどこかいつもうわの空だった」

「そんなつもりなかったわ」

「責めてるんじゃないんだ。結局、曜子を完全に俺に振り向かせることができなかったのは、俺の腑甲斐《ふがい》無さなんだから」

「そんなふうに言わないで」

徹也はふっと空を見上げた。

「それで、あの人、曜子に戻って来いって言ってるのか」

「ううん」

曜子は左右に首を振った。

「違うのか？　曜子を幸せにしてくれるんじゃないのか」

「私を受け入れてくれるかどうかもわからない。でも、いいの。その人に幸せにしてもらわなくても」

「何でだよ、そんなの変だろ」

「ううん、それでいいの、その人を好きでいることが、幸せなんだってことに気がついたから」

徹也は頰《ほお》に力ない笑みを浮かべた。

「参ったな、そこまで言われちゃ、何にも言えなくなる」

「ごめんなさい、身勝手ばかりして」

「曜子は正直だからな」

出口が近付いて来た。曜子はデイパックの中から指輪を取り出した。

「これを返さなくちゃ……」

「いいよ、どこかに捨ててくれ」

「でも」

「そうだな、そんなこと言われても捨てにくいよな。わかった、返してもらうよ」

パールの指輪は曜子の手から徹也の手に渡り、それはポケットの中に消えて行った。

徹也は立ち止まり、曜子の正面に立った。

「俺、その男に負けたというより、曜子に負けたって思ってるよ。曜子がその男に惚《ほ》れてるほど、俺は曜子に惚れてたかと言われると、ちょっと自信がなくなりそうだよ。だから、頑張れよ。その男のこと、必ずものにしろよ。でないと俺、振られてやる意味がないじゃないか」

徹也は最後まで優しく、そして男らしかった。

「じゃあ、行くよ」

そう言って背を向けた徹也を、曜子は呼び止めた。

「待って、徹也」

「ん？」

「ひとつだけお願いがあるの」

「うん」

「まゆみに」

「まゆみ？」

「まゆみにこのこと伝えて欲しいの」

「このことって、俺たちがダメになったことか？」

「ええ」

「どうして、曜子が自分で言えばいいだろう」

「徹也から言って欲しいの。まゆみはいつも徹也のこと、心配してたから。だから、お願い」

「そっか、うん、わかった。そうしよう」

「それと、ありがとうも」

「ああ」

徹也がかすかに笑みを浮かべる。

「じゃあな」

「ええ」

そして、徹也はもう決して、振り向かなかった。

曜子の足はまっすぐに久住のアトリエへと向かっていた。

もう後戻りできない。迷ってはいけない。大切な人たちを傷つけてまで選んだ恋なのだ。もし久住がいなかったら、帰るまで待っていよう。もし女の人がいたら、レイコのように友達になろう。久住が苦しむことがあれば、じっとそばにいよう。ひとりになりたい時は、消えていよう。

愛されなくても、愛し続けよう。そこに辿《たど》り着くまで、ただ愛し続けよう。

それが、私がいちばん幸福でいられることだから。だからもう決して迷ったりしない。

星が空から降り注いでいる。街が夜の準備を始める。風が前髪をなびかせる。

曜子の足が速くなる。

そして、いつか走り出していた。

解説――まっとうな女

図子　慧

芸術家の男って、恋人にしたらどんな感じなんでしょう。

鬼才と称される敏腕プロデューサーと一時交際していた友人ユミちゃんによれば、「とにかく、すごかった」そうです。

「言動、行動、エッチもぜんぶ」

テレビ局の音響技師をしていた彼女は、ある番組で共に仕事をした彼に一目惚《ひとめぼ》れしてしまい、あの手この手で接近して、まんまとGFになりました。しかし、うまくいったのはそこまで。実はこのプロデューサー氏は、『あなたへの日々』の久住さん同様、くるもの拒まずの方だったのでした。

そんなわけで、ユミちゃんは妻も愛人もいる彼の愛人その二になりました。

「わたしが会えるのは土曜日だけなんだけど、土曜日にお部屋に遊びにいくと、自分でフランス料理のフルコースつくってくれて、ワインをあけて、バイオリンを弾いてくれるの！」

うわお、すごい。

料理が趣味という男性も最近は増えてきましたが、バイオリンの生演奏つきというのは、わたしもはじめて聞きました。

「よく、笑わなかったね」

思わず彼女に聞いてしまいました。お手製のフランス料理を彼女が食べてる横で、バイオリンを自己陶酔しながら弾いている男の姿を想像しただけで、悶絶《もんぜつ》しそうです。

「うん。ホントいうと、今にも噴きだしそうで必死で我慢した」

ユミちゃんは、思いだし笑いをしながら告白しました。

「でも、それなりに演奏は上手《うま》かったし。あたしを喜ばせようとして弾いてくれたんだから。やっぱりうれしかったよ」

彼の一生懸命さを強調する彼女の照れた表情をみながら、わたしは、彼女は本気だったんだなあと、あらためて気が付きました。それにおそらく、彼は、バイオリンを抱える姿も様になるようなハンサムだったのでしょう。ユミちゃんはわたし以上に面食いでしたから。

とにかく、ユミちゃんの彼氏が、そんじょそこらにいる男でなかったのは事実です。モデル出身の妻にスチュワーデス（今はフライト・アテンダントですね）出身の愛人双方の生活の面倒をみながら、さらに若いアシスタント（つまりユミちゃんね）にまで手をだしていた、なかなかの豪快さんなのです。彼は、のちにスチュワーデスの愛人が自殺未遂して、局で問題になり、しばらく干されていたそうです。

とりあえずユミちゃんは、妻がいることも他に愛人がいることも承知していたので、「あたしは美味《おい》しいトコどり」と割り切ってました。

この彼氏から、ユミちゃんはクラシックの聞きどころやオペラの面白さを教わりました。

普段つき合えないような人々とも交流し、大いに勉強になったそうです。

その後、彼の人事異動で自然とつき合いは途切れて、今はたまに電話がかかってくる程度。いい思い出だと、ユミちゃんはいいます。

しかし……。

『あなたへの日々』を読了後、もしかすると、「愛人のいいトコどり」といったのは、ユミちゃんの強がりだったのかなあ、と思いました。

「……あなたは誰かのために何かをするってことに価値を見いだしたことがある？」

これは、曜子のセリフです。まだ本文を読まれてない方のために、芯《しん》の部分はとっておきますが、ユミちゃんも同じ気持ちだったのかもしれません。

いくら好きで尽くしても、誠意を返してくれない相手、しかも先着順でいえば、愛人にもカウントされない位置に自分がいるとしたら、気持ちを「遊び」に切り替えるしかありません。

自分を守るためには、本気をださないふりをするしかないのです。けれど、そうした表面だけのつき合いでは、ただ思い出がのこるだけです。全力で相手を愛し、愛される手応《てごた》えを感じたときに、人は変化してゆくものでしょう。

芸術家の男は、ドラマチックに、恋愛を演出する方法を心得てますが、ユミちゃんの彼氏は、彼女に「本気をだす」余地を与えてくれませんでした。

結局、とユミちゃんはいいました。

「あの人、甘えん坊なのよね」

わたしは唯川さんの小説の主人公が好きです。

読了したあとは、いつも主人公に感情移入して、買い物や家事の最中、ヒロインと同じ行動をとってしまいます。この曜子にしても、デパートでアルバイトしながら、売ってる商品にはまるで手がでない点に、大いに共感してしまいました。

まっとうに生きてる女。税金を払い、健康保険料を払い、つつましく、それでいて周りに気を使いながら生きてる女。

こういう普通のスタンダードな人間がいなければ、世の中は崩壊してしまうでしょう。

しかし、現実にまっとうに生きていくには、強い心の力が必要なんですよね。弱ったり、迷ったりすることは、いっぱいあるし。友達や家族の助けを借りるには、普段からちゃんと周囲をケアしてなくちゃいけない。

当たり前のことを当たり前にするっていうのは、なんて辛くてきびしいんでしょう。

でも、当たり前のことをがんばっても、だーれも誉《ほ》めてくれない。

唯川さんの小説は、こうしたまっとうにがんばってる女を、やさしく丁寧に励ましてくれます。読んでると、心のツボをぐいぐいもみほぐしてもらったように、すっきりするのです。

しんどいけど、明日もがんばろう。

まっとうな女のための、恋愛小説です。

ああ、わたしもがんばらなくちゃ。

この作品は一九九四年十一月、集英社より刊行された『彼方《あなた》への日々』を改題し加筆しました。

集英社文庫　目録（日本文学）

山本藤枝　現代語で読む太平記
山本文緒　あなたには帰る家がある
山本文緒　きらきら星をあげよう
山本文緒　ぼくのパジャマでおやすみ
山本文緒　おひさまのブランケット
山本文緒　シュガーレス・ラヴ
山本文緒　野菜スープに愛をこめて
山本文緒　まぶしくて見えない
山本文緒　落花流水
唯川恵　さよならをするために
唯川恵　彼女は恋を我慢できない
唯川恵　OL10年やりました
唯川恵　シフォンの風
唯川恵　キスよりもせつなく
唯川恵　ロンリー・コンプレックス
唯川恵　彼の隣りの席
唯川恵　ただそれだけの片想い
唯川恵　孤独で優しい夜
唯川恵　恋人はいつも不在
唯川恵　あなたへの日々
唯川恵　シングル・ブルー
唯川恵　愛しても届かない
唯川恵　イブの憂鬱
唯川恵　めまい
結城昌治　罠の中
結城昌治　刑事
結城昌治　噂の女
結城昌治　泥棒
結城昌治　夜は死の匂い
結城昌治　春の悲歌
結城昌治　世界でいちばん優秀なスパイ
結城昌治　魔性の香り
結城昌治　花ことばは沈黙
悠玄亭玉介　幇間（たいこもち）の遺言
尹学準・他　ソウルAtoZ
夢枕獏　怪男児
夢枕獏　格闘漂流・猛き風に告げよ
夢枕獏　仕事師たちの哀歌《エレジー》
夢枕獏　仰天・プロレス和歌集
夢枕獏　仰天・平成元年の空手チョップ
夢枕獏　聖楽堂酔夢譚
夢枕獏　純情漂流
夢枕獏　絢爛たる鷺
夢枕獏　神々の山嶺(上)(下)
夢枕獏・編著　奇譚カーニバル
夢枕獏　慶応四年のハラキリ
夢枕獏　空気枕ぶく先生太平記
夢枕獏　仰天・文壇和歌集

集英社文庫 目録（日本文学）

集英社文庫　目録（日本文学）

わかぎゑふ　ばかのたば
わかぎゑふ　それは言わない約束でしょ？
わかぎゑふ　秘密の花園
わかぎゑふ　ばかちらし
若竹七海　サンタクロースのせいにしよう
若竹七海　スクランブル
和久峻三　あんみつ検事の捜査ファイル　夢の浮橋殺人事件
和久峻三　あんみつ検事の捜査ファイル　女検事の涙は乾く
和久峻三　あんみつ検事の捜査ファイル　桜月夜の殺人
和久峻三　あんみつ検事の捜査ファイル　三つ首荘殺人事件
和久峻三　あんみつ検事の捜査ファイル　白骨夫人の遺言書
和久峻三　赤かぶ検事の名推理　法廷殺人の証人
和田誠・絵　超時間対談
渡辺一枝　時計のない保育園
渡辺一枝　桜を恋う人
渡辺一枝　眺めのいい部屋

渡辺一雄　崩壊の軌跡
渡辺淳一　白き狩人
渡辺淳一　優しさと哀しさと
渡辺淳一　野わけ
渡辺淳一　桐に赤い花が咲く
渡辺淳一　くれなゐ（上）
渡辺淳一　くれなゐ（下）
渡辺淳一　冬の花火
渡辺淳一　流氷への旅（上）
渡辺淳一　流氷への旅（下）
渡辺淳一　麗しき白骨
渡辺淳一　北国通信
渡辺淳一　女優（上）
渡辺淳一　女優（下）
渡辺淳一　ふたりの余白
渡辺淳一　化身（上）（下）

渡辺淳一　遠き落日（上）（下）
渡辺淳一　公園通りの午後
渡辺淳一　わたしの女神たち
渡辺淳一　花埋み
渡辺淳一　新釈・からだ事典
渡辺淳一　シネマティク恋愛論
渡辺淳一　うたかた（上）（下）
渡辺淳一　創作の現場から
渡辺淳一　夜に忍びこむもの
渡辺淳一　これを食べなきゃ
渡辺淳一　新釈・びょうき事典
渡辺淳一　源氏に愛された女たち

＊

日本ペンクラブ編　幻想小説名作選
日本ペンクラブ編　純愛小説名作選
日本ペンクラブ編　情報小説名作選

集英社文庫

あなたへの日々《ひび》

2000年11月25日　第1刷
2002年11月13日　第5刷

定価はカバーに表示してあります。

著　者　唯《ゆい》　川《かわ》　恵《けい》

発行者　谷　山　尚　義

発行所　株式会社　集　英　社
東京都千代田区一ツ橋2—5—10
〒101-8050
電話　03（3230）6095（編集）
（3230）6393（販売）
（3230）6080（制作）

印　刷　株式会社 廣済堂

製　本　株式会社 廣済堂

ISBN4-08-747262-0 C0193